O fim
do Brasil

Escrituras Editora e Distribuidora de Livros Ltda.
Rua Maestro Callia, 123 - Vila Mariana - São Paulo - SP - 04012-100
Tel.: (11) 5904-4499 / Fax: (11) 5904-4495
escrituras@escituras.com.br
www.escrituras.com.br

Diretor editorial **Raimundo Gadelha**
Cooredenação editorial **Mariana Cardoso**
Assistente editorial **Amanda Bibiano**
Capa, projeto gráfico e diagramação **Studio Horus**
Revisão **Carolina Ferraz**
Impressão **Farbe Druck**

Dados Internacionais de Catalogação na Publicação (CIP)
(Câmara Brasileira do Livro, SP, Brasil)

Miranda, Felipe
O fim do Brasil: a crise da economia: os bastidores da censura: a proteção do seu patrimônio/Felipe Miranda. - 1. ed. - São Paulo: Escrituras Editora, 2014.

ISBN 978-85-7531-571-2

1. Brasil - História 2. Brasil - Política e governo 3. Economia - Brasil 4. Economia - Brasil - História I. Título.

14-09230 CDD-981

Índices para catálogo sistemático:
1. Brasil: História 981

Impresso no Brasil
Printed in Brazil

Felipe Miranda

O fim do Brasil

A crise da economia
Os bastidores da censura
A proteção do seu patrimônio

escrituras
São Paulo, 2014

Para minha mãe, Lúcia.

Aos heróis Beatriz Nantes, Conrado Mazzoni,
João Françolin, Roberto Altenhofen e Rodolfo Amstalden.

Se meus detratores me conhecessem melhor,
me odiariam ainda mais.

Nassim Taleb

Sumário

Prefácio

Se alguém se dispusesse a escrever a história completa dos desastres econômicos, o resultado seria um livro bem grosso. Cada nação e cada geração parece ter o desejo de adicionar capítulos próprios a essa história. Neste sentido, o Brasil costuma ser mais fértil do que a maioria.

Mas o que é a economia afinal? Trata-se meramente de uma palavra que usamos para as conexões e os acordos através dos quais as pessoas conseguem os bens que desejam e de que precisam. Cada indivíduo sabe como agir. Cada um usa seus próprios recursos - tempo, dinheiro, imaginação... seja lá o que for - da melhor maneira que pode. O governo, com suas leis e políticas econômicas, prepara o palco para esta grande aventura acontecer. Assim estabelece o contexto em que os compradores, vendedores, produtores e consumidores poderão obter o que desejam com suas negociações.

Com base em experiências dolorosas, observações e teoria... sabemos há muito tempo que, quando a riqueza material está em questão, não há melhor sistema do que a quase "ausência" de sistema. Ou seja, existem certas condições que devem ser preservadas - como direito à propriedade, cumprimento dos contratos, previsibilidade nas políticas, nos impostos e na estrutura legal - no mais, é melhor deixar o sistema econômico evoluir sozinho.

Por quê? Porque aqueles que deveriam melhorar o sistema são humanos e, portanto, estão propensos a cometer erros ao colocar os próprios interesses à frente dos anseios da sociedade. Outra maneira de ver a questão é perceber que as decisões políticas obedecem à mesma lei de "utilidade marginal decrescente", que rege tudo na vida. Um pouco de interferência política pode ser algo bom. Mais interferência produz menos retorno sobre o investimento. E muita interferência política é sempre um desastre.

Políticas governamentais são menos eficazes à medida em que se tornam mais ambiciosas. No mínimo, a eficiência delas em gerar prosperidade é reduzida. Pode servir a outras finalidades - por exemplo, transferir riqueza de um grupo para outro, geralmente dos favorecidos para os menos favorecidos - mas, considerando a produção de bens e serviços, a política se torna contraproducente quase que de forma imediata. Os governantes impõem seus planos a milhões de pessoas que já tinham metas próprias e que as conhecem melhor do que ninguém. Quanto mais se tira o planejamento delas, colocando-o nas mãos distantes dos servidores públicos, com menos eficiência o sistema funciona.

Provavelmente o maior incômodo para governos ambiciosos é a política fiscal. Os políticos acreditam que terão mais chances de se reeleger aumentando a produção de bens e serviços, de forma que os eleitores melhorem de situação. Eles não podem aumentar a produção diretamente, por isso se apoiam no lado "demanda" da gangorra. Acreditam que incentivando a "demanda" irão também estimular a oferta.

Com o objetivo de obter mais recursos para gastar, os governos cobram mais impostos ou pedem dinheiro emprestado. Nada disso impulsiona a demanda líquida; apenas a transfere do setor privado para o público. E tanto a receita fiscal quanto o crédito disponível são limitados pelos ganhos e pela poupança da sociedade. Isso leva os governantes a darem um passo grande e perigoso: criar "demanda" aumentando a oferta de moeda.

Não há almoço grátis na economia real. Se fosse possível aumentar a riqueza de uma sociedade simplesmente aumentando a oferta de moeda, o Zimbabwe seria a nação mais rica do planeta. Em vez disso, é uma terra economicamente devastada.

Imprimir dinheiro é estúpido e desastroso. Mas não é impopular. Porque há uma defasagem entre a implementação e o desastre. Durante algum tempo, empresas, consumidores, produtores e investidores desfrutam o que se parece muito com a prosperidade. Mais tarde, a conta vem.

Se o seu objetivo fosse desacelerar ou destruir a economia, o meio de fazer isso seria bastante óbvio. Você iria instituir um plano abrangente de "crescimento e prosperidade", com diretrizes detalhadas e alterações frequentes. Você prometeria resultados específicos – aumentar os salários, construir aeroportos, baixar os preços – e gastaria um dinheiro que na verdade não tem para fazer coisas que poderiam ou não valer a pena. Você imprimiria a quantia suficiente para pagar pelos programas e teria amplo apoio popular, ao menos até que esses programas se mostrassem improdutivos.

Leitores inteligentes irão detectar as linhas gerais desse ativismo nas políticas de quase todos os governos importantes do mundo desenvolvido. Todos afirmam que estão ajudando suas economias a atingirem um nível de perfeição que não poderiam alcançar sozinhas. E todas essas economias – sob o peso da dívida, da idade e das políticas governamentais – agora rangem e gemem, avançando em um ritmo cada vez mais lento.

Se isso está acontecendo ao Brasil - com sua população jovem, seus recursos naturais aparentemente ilimitados e seu baixo nível de endividamento -, é devido ao poder perverso das políticas governamentais. Com o Plano Real, a economia brasileira se estabilizou e progrediu rapidamente. O Goldman Sachs classificou o Brasil, em 2001, junto com China, Rússia e Índia, como uma das economias do BRIC destinadas a liderar o crescimento econômico mundial no século 21. A previsão parecia se concretizar em 2010, quando o PIB brasileiro registrou crescimento de 7,5%. Só que, dois anos depois, o crescimento havia caído para 0,9% - ou seja, havia parado.

A história se tornou ainda mais deprimente quando a inflação subiu para... 7% em 2013, juntamente com a previsão de mais um ano de estagnação econômica em 2014. Isto, naturalmente, leva aos já conhecidos problemas políticos e sociais, agravados pela vergonhosa derrota da seleção brasileira... depois da fanfarra e do enorme investimento para a Copa do Mundo.

O que você verá aqui é uma descrição detalhada do que deu errado no caminho para o crescimento e a prosperidade. Felipe Miranda revela os enganos, as vaidades e os equívocos que têm atormentado sistemas econômicos ao redor do mundo, por muitas gerações. Ele explora as últimas contribuições do Brasil para a mítica e volumosa "História da Calamidade Econômica" e destaca as singularidades brasileiras para o gênero.

William "Bill" Bonner

Empresário americano, fundador e presidente da, Agora Inc. Autor de vários livros e artigos de Economia e Finanças. Em 1997, recebeu o prêmio **Empresário do Ano**, concedido pela Ernst & Young LLP, Kauffman Foundation, USA Today e NASDAQ. E, em 2010, o prêmio de **Homem do Ano**, pela associação de marketing direto da Washington Educational Foundation.

Capítulo 1

A morte do Brasil aos 20 anos de idade

Ao despertar de sonhos inquietantes, o Brasil se viu transformado num gigantesco defunto. *"O que me aconteceu?"* - pensou. Era aquilo mesmo. De forma prematura, o País havia morrido, ainda aos 20 anos de idade.

Havia algo de surreal no processo. Empresas e pessoas podem ir embora mais cedo. Mas... países? Sim, exatamente. O Brasil, tal qual nós conhecíamos, acabou. A quinta economia do mundo, a letra B dos BRICs, a representação do futuro, a grande potência continental abaixo da linha do Equador está em seu leito de morte.

Explica-se a metáfora. A história do Brasil, da forma como observamos hoje, tem início em julho de 1994, a partir da adoção do Plano Real, cujo resultado imediato foi a estabilização da economia. Antes disso, era pré-história.

Somente a partir da recuperação da confiança na moeda e do controle da inflação podemos falar em uma economia estável. A inflação batendo em 80% ao mês impede qualquer civilidade nas relações econômicas.

Se metade de seu poder de compra é corroído ao longo de um único mês, abandona-se, de imediato, a ideia de um orçamento familiar equilibrado. Isso posto, não há como existir qualquer padrão de consumo consistente e saudável. Cabe às famílias apenas correr ao supermercado e estocar o máximo de produtos a seu alcance.

E, se descartamos o consumo, tampouco podemos contar com o investimento. O empresário jamais tomará a decisão de ampliar sua capacidade produtiva se não existir confiança na moeda; e as regras do jogo são, a cada ano, alteradas a partir de um novo plano econômico.

Sem consumo e investimento, não há economia que resista. A partir da estabilização em 1994, nasce um novo Brasil. Estimula-se uma demanda reprimida secularmente, a partir da retomada da confiança na moeda e com desdobramento óbvio sobre o consumo. Paralelamente, com regras mais claras e maior visibilidade, foi possível retomar o investimento. Tudo isso com o empurrão exógeno de uma safra formidável, aquela que acabou batizada de "âncora verde".

Em pouco tempo, mais precisamente cinco anos depois, o Plano Real supera sua infância. Para conter as crises fiscal e cambial do ano de 1999, cujos detalhes virão a seguir, implementa-se o famoso tripé macroeconômico, alinhando-se à ortodoxia de política econômica em âmbito global.

Os alicerces da gestão macro passam a ser o sistema de metas de inflação, o câmbio flutuante e a perseguição da austeridade fiscal.

Assentam-se as bases da política econômica para o início do novo milênio, com reforços importantes ao arcabouço institucional vindos da Lei de Responsabilidade Fiscal e do fortalecimento das agências reguladoras.

A primeira teve um papel fundamental para dar a estados e municípios alguma disciplina fiscal. Os governos estaduais e as prefeituras não gozam, sozinhos, de incentivos para controlar o orçamento. A princípio, poderiam gastar em excesso e adotar medidas populistas, fortalecendo-se junto à população local, pois o ônus do desequilíbrio fiscal e da inflação (consequência imediata do descontrole das contas públicas) cabe estritamente à União. É uma questão da macroeconomia nacional. A Lei de Responsabilidade Fiscal nasce justamente para combater esse problema.

Em paralelo, as agências reguladoras precisam, em setores estratégicos e sob intensa regulamentação, exibir características de gestão essencialmente técnicas - sem interferência política. Somente assim estará garantida a melhor eficiência setorial em contraponto aos interesses eleitoreiros ou monopolistas.

São basicamente essas as diretrizes macroeconômicas centrais de 1999 a 2009. Mais à frente será mostrado como seus resultados foram importantes.

A coisa muda de forma radical a partir da crise de 2008, com início nas hipotecas de alto risco dos EUA, cujo ápice é marcado pela quebra do banco Lehman Brothers, em 15 de setembro de 2008.

Tentando transformar a tempestade internacional em marola, o Governo brasileiro adota, de forma deliberada, uma série de medidas heterodoxas e desalinhadas ao tripé macroeconômico anterior. O conjunto de deliberações foi batizado de "nova matriz econômica".

Grosso modo, a tal nova matriz carregava uma tríade diferente e, de certa forma, antagônica à anterior. Suas características canônicas foram: i) a perseguição de uma taxa de juro baixa; ii) a busca por uma taxa de câmbio competitiva; e iii) o aumento da participação do Estado na economia.

O argumento aqui é de que, embora possa haver alguma influência externa nos problemas da economia brasileira pronunciados em 2014, a raiz da estagflação (baixo crescimento econômico e alta inflação) está justamente na proposição da política econômica heterodoxa desenvolvida a partir de 2009.

Pormenorizando a exposição, ao perseguir uma taxa de juro baixa, o Banco Central brasileiro adota uma política monetária excessivamente expansionista, sem o devido cuidado com a inflação. O corolário passa a ser a convivência sistemática com uma variação de preços em linha com o teto da meta, de 6,50% ao ano, ignorando o pressuposto crucial do regime de que se deve perseguir o centro do intervalo - no caso, 4,5% ao ano, sendo a banda de dois pontos, para cima ou para baixo, feita apenas para absorver choques exógenos transitórios.

A obstinação da política monetária ortodoxa num regime de metas é controlar a inflação. Não se deve nem se pode partir da visão ideológica de que a taxa de juro precisa ser baixa. O juro básico será aquele condizente com o controle da inflação - simples e direto, sem ideologia.

Ferimos, portanto, a primeira perna do tripé macroeconômico clássico, atrelada ao sistema de metas de inflação.

Vale ressaltar que, ao buscar uma taxa de câmbio competitiva, o Governo revela, de maneira implícita, a existência de uma meta para a relação entre dólar e real. Decepamos a segunda perna do tripé original, aquela do câmbio estritamente flutuante.

Sem extremismo na proposição. Não se trata de argumentação xiita de que a hipótese de câmbio flutuante exige completo autismo do Banco Central. Em nível global, reconhece-se a tese de que as autoridades monetárias são *fear of floating*. Em bom português, os bancos centrais têm medo do excesso de flutuação do câmbio, que pode causar inflação, mexer com a dívida das empresas de forma súbita ou bagunçar importações e exportações.

Nesse âmbito, momentos de grandes saltos, para cima ou para baixo, da taxa de câmbio exigem intervenção do Banco Central como forma de suavizar a flutuação e minimizar seus impactos sobre a economia real. O problema é que o Banco Central brasileiro se aproveita da prerrogativa para perseguir uma meta de câmbio, mesmo em momentos de volatilidade próxima às suas mínimas históricas, contrariando o preceito de câmbio flutuante.

Há algo curioso a ser observado. Embora um dos elementos da matriz econômica, em sua gênese, seja a procura por uma taxa de câmbio competitiva (real desvalorizado), nota-se uma mudança na direção, sobretudo a partir de 2013, quando a inflação passa a incomodar mais. O Banco Central atua, daí em diante, para manter o câmbio apreciado (dólar barato) como forma de conter a elevação generalizada dos preços.

O comportamento difuso denota a utilização da relação dólar/real como instrumento de política monetária e o desconforto com a ideia de câmbio verdadeiramente flutuante. Seja competitivo ou apreciado, o câmbio será, de 2009 em diante, administrado conforme as intenções momentâneas do Banco Central, em conflito com a ideia inicial de que a taxa seria determinada pelas condições de mercado.

As considerações a respeito da última parte do tripé são ainda mais problemáticas. Foi negligenciada a importância da austeridade fiscal, assim como foram descumpridas sistematicamente as metas de superávit primário (o quanto o Governo economiza sem considerar os gastos com juros). Ademais, para fingir algum equilíbrio das contas públicas, as cartilhas tradicionais foram substituídas pela chamada contabilidade criativa, em que se atrasam pagamentos e repasses do setor público, implementam-se negociações triangulares entre as diversas organizações estatais e cobram-se gordos dividendos de empresas de economia mista, mesmo sem que seus respectivos balanços patrimoniais permitam.

A política fiscal irresponsável é, possivelmente, a principal causa da estagflação brasileira. Primeiro porque, como muito bem caracterizou o prêmio Nobel de Economia Thomas Sargent, a inflação é um fenômeno fiscal.

Por definição, inflação é o aumento generalizado dos preços. Isso só pode acontecer de maneira sistemática se a demanda agregada cresce em ritmo superior à oferta. Temos observado justamente isto: o Governo, com leniência dos gastos, empurra para cima a demanda agregada sem que a oferta acompanhe, simplesmente porque o setor privado é expulso pela presença do Leviatã, naquilo que, em linguagem técnica, chama-se efeito *crowding-out*.

E o Governo, ao gastar mais do que arrecada, impõe um custo futuro à sociedade. Para devolver o orçamento ao equilíbrio e compensar o ímpeto gastão do presente, as futuras gerações precisarão oferecer maior taxa de poupança (menos consumo) e/ou encarar mais impostos.

Destruímos, uma a uma, as três pontas do tripé. Assim, a partir da implementação do Plano Real, nasce um novo Brasil, cuja maturidade é atingida em 1999. Esse mesmo país, porém, começa a morrer por meio da nova matriz econômica.

O crescimento econômico do Governo Dilma é o menor desde a Era Collor, e a inflação foge do controle – encerraria 2014 beirando os 10% ao ano não fosse pelo controle de preços da gasolina e da energia.

Em resumo, estamos prestes a voltar a condições anteriores a 1994. Seria o fim do Brasil?

As consequências mais fortes começam a ser sentidas ainda em 2014, ano que acabou marcado pelo "padrão Felipão", em alusão à derrota por 7x1 do Brasil para a Alemanha, na Copa do Mundo. No campo econômico, a inflação anual de 2014 aponta para 7% (sendo preciso, 6,50%) e o crescimento sugere 1% (sendo preciso, algo em torno de 0,8%).

Mas não havendo alteração de rota, será só o começo. O atual Governo erra em seu diagnóstico. Elogia a nova matriz econômica e atribui a estagflação ao cenário externo - tese que será refutada um pouco à frente.

Obviamente, sem o diagnóstico adequado, não poderemos contar com um bom prognóstico. Não bastassem os desafios em curso, o ano de 2015 sugere adversidades adicionais relevantes.

Além do próprio aprofundamento da nova matriz econômica, dois elementos mais destacados oferecem dificuldade extra. O primeiro é a necessidade de pôr fim ao represamento dos preços de energia e petróleo, com desdobramentos óbvios sobre a inflação.

O segundo está associado à perspectiva de subida das taxas de juros no ambiente internacional, o que deve conferir maior atratividade aos títulos do Tesouro norte-americano e, possivelmente, retirar capitais dos mercados emergentes (Brasil incluído). Dada a já presente fragilidade das contas externas, conforme ficará claro à frente, o processo pode significar uma crise cambial de proporções relevantes.

Preâmbulo feito, este livro foi escrito com três objetivos explícitos. Destarte, faz-se necessário alertar para os riscos atrelados ao possível endurecimento da heterodoxia na política econômica, com a nova matriz econômica levando-nos a um processo de "argentinização" - com o perdão do neologismo e o devido respeito aos *hermanos*. Note que o Governo Dilma já admite o controle de certos preços em nível micro - não se pode descartar que a simpatia ao tabelamento ou congelamento de preços possa ser levado, no cenário extremo, à esfera macro. Em reforço, a criatividade contábil adotada pelo governo brasileiro, além de condenável per se, caso não seja revertida tempestivamente, pode representar o início de um processo de completa perda de confiança na contabilidade nacional. São duas características elementares da caminhada bolivarianista em curso.

Isso posto, em caso de não interrupção da política econômica apoiada na nova matriz, o prognóstico é de recessão, com diminuição dos salários, aumento do desemprego, piora dos indicadores sociais em geral e escalada da inflação.

A maior parte do livro é dedicada ao argumento supracitado. Abordamos a deterioração dos fundamentos macroeconômicos e o que está por vir, dedicando espaço em separado para os problemas da Petrobras e para o desarranjo do setor elétrico.

Antes, porém, separamos um capítulo sobre a censura que a administração Dilma tentou impor, às vésperas da eleição presidencial de 2014, aos analistas de mercado. Entre os maiores erros de política econômica está certamente o esforço em prol do cerceamento de opiniões críticas, de tal sorte que o segundo capítulo deste livro discorre sobre as tentativas de calar as vozes dissonantes.

Depois oferecerá alternativas para o investidor, e também ao cidadão comum, de como proteger seu patrimônio, e o de sua família, diante da crise que está sendo formada – em sendo possível, não somente blindar a poupança até aqui acumulada, mas também incrementá-la.

Por fim, encerra-se com abordagem propositiva à política econômica. Apresenta-se uma alternativa à nova matriz econômica, o caminho para a retomada da ortodoxia e, em especial, uma estratégia para enfrentarmos a estagflação, retomando a via do crescimento alto com inflação baixa.

Do pré-real à nova matriz econômica

A situação da economia brasileira antes de 1994 era crítica. Entre 1990 e 1994, o crescimento médio do PIB foi de 1,3% ao ano, enquanto a inflação anual marcou 1.210%. Entre 1986 e 1991, houve cinco planos econômicos distintos (Plano Cruzado, Bresser, Verão, Collor I e Collor II). Não havia confiança na moeda e, tampouco, nas instituições, pois as regras do jogo mudavam, dramaticamente, da noite para o dia.

Observamos tentativas sucessivas de congelamento e tabelamento de preços, com implicações trágicas, desde a qualidade sofrível dos produtos até a falta de abastecimento. A imagem das prateleiras vazias nos supermercados era emblemática.

O ponto mais traumático acontece com o Plano Collor, lançado no mesmo dia da posse do novo presidente e marcado pelo sequestro de liquidez, além de outras medidas heterodoxas, como criação de impostos e novo congelamento de bens/serviços. A partir daquela data, todas as aplicações financeiras superiores a NCr$ 50 mil foram bloqueadas por um período de 18 meses.

Somente uma economia em estado grave pode encontrar como resposta de política uma violência tão atroz.

O quadro abaixo, extraído do livro Economia Brasileira Contemporânea, organizado por Fabio Giambiagi e André Villela, resume a situação da economia brasileira nos anos anteriores ao Plano Real:

Base anual	90-94
Crescimento do PIB (%)	1,30%
Inflação (IGP, %)	1,210%
Investimento (FBCF, % PIB)	19,50%
Saldo em conta corrente (US$ milhões)	-314

Em julho de 1994, o Plano Real muda a configuração da economia brasileira de maneira radical, ao conferir a estabilização e devolver a confiança na moeda.

Abaixo, apresenta-se o impacto imediato e inequívoco do real sobre a taxa de inflação:

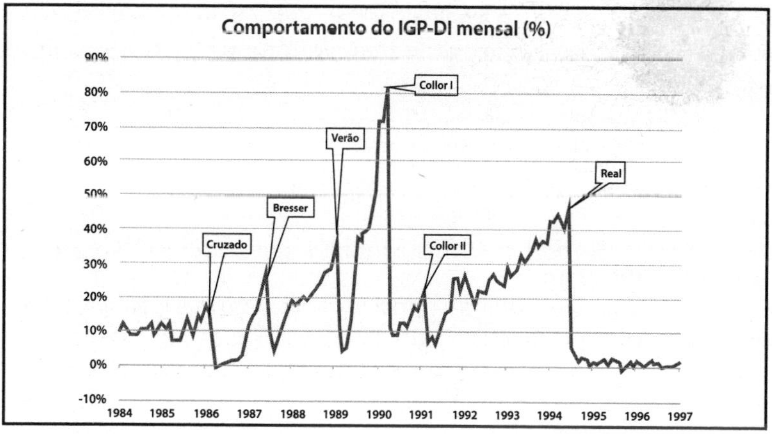

Fonte: FGV.

Inequivocamente, o Plano Real estabelece um novo paradigma para a economia brasileira.

Há dois pontos nevrálgicos a respeito desse Plano. O primeiro é a compreensão sobre a necessidade de atacar o componente inercial da inflação, o quanto a elevação de preços corrente dependia, em grande medida, da evolução dos preços no passado, criando um ambiente de retroalimentação.

O segundo corresponde ao reconhecimento da relação simbiótica entre a política fiscal e a inflação. A primeira fase do Plano Real representa justamente o ajuste fiscal, a perseguição do equilíbrio do orçamento público, marcado pela criação do Fundo Social de Emergência e do Imposto sobre Movimentações Financeiras.

Subsequentemente, inicia-se o período da URV (Unidade Real de Valor), com indexação completa da economia e alinhamento forçado de todos os preços relativos.

Por fim, a terceira fase marca a transformação efetiva da URV em moeda, a partir da introdução do Real, cuja consequência imediata é a queda da taxa de inflação.

Em paralelo ao controle de preços, houve vigoroso crescimento econômico. Depois de anos de demanda reprimida, o resgate da confiança na moeda e a recomposição de salários reais pavimentaram a via para o incremento do consumo.

Ademais, a maior confiança nos negócios e a previsibilidade do cenário, afastado o risco de alteração das regras do jogo em face ao sucesso do plano, conceberam panorama mais profícuo ao investimento.

O crescimento da economia, em 1994 foi de 5,9%. A indústria andou muito bem, e a agropecuária também, com evolução de 55% e lhe rendeu o apelido de "âncora verde do real." A maior oferta de alimentos ajudou de maneira pronunciada no controle de preços de produtos básicos.

O surto de crescimento durou pouco. Em maio de 1995, acaba a janela inicial, muito favorável, do Plano Real.

Para não permitir a volta da inflação, o Governo usou a prerrogativa da âncora cambial. O dólar era deliberadamente mantido baixo a partir de taxas de juros muito altas, para atrair o capital estrangeiro.

Com isso, produtos importados ficavam mais baratos, estimulando as importações. Entre 1995 e 1997, as importações em dólar cresceram a uma taxa média de 21,8% ao ano, enquanto as exportações subiram apenas 6,8%.

As taxas de juros nominais passaram de 21% para 43%, em outubro de 1997, e de 19% para 42%, em setembro/outubro de 1998 - a cada crise internacional, os juros disparavam para conter a taxa de câmbio.

Não poderia haver cenário diferente. Tivemos duas crises simultâneas: nas contas externas e nas contas públicas. O déficit em conta corrente chegou a quase 4% do PIB em 1997 e a necessidade de financiamento do setor público bateu 6,07% do PIB, em 1997 e 7,47% do PIB, em 1998.

Para manter o câmbio apreciado e oferecer dólares ao mercado na taxa desejada, chegamos a perder US$ 1 bilhão de reservas internacionais por dia, durante vários dias.

A semente da destruição estava plantada. O estouro do modelo era inevitável.

Em 1999, inicia-se, portanto, uma nova fase, marcada pelo famoso tripé macroeconômico, quando se abandona a âncora cambial, com um novo regime sendo detalhado em junho.

Ficaram definidos como elementos centrais e explícitos da política econômica:

1. câmbio flutuante;
2. metas de superávit primário;
3. sistema de metas de inflação.

O tripé caracteriza o final do Governo FHC e também o primeiro mandato do Governo Lula. Grosso modo, essas são as diretrizes macroeconômicos em vigor de 1999 a 2009.

Nesse intervalo, observamos dois surtos de crescimento. O primeiro decorrente do ciclo de commodities favorável, com uma melhora pronunciada dos termos de troca. A cesta dos produtos vendidos pelo Brasil ao exterior ficou cerca de 40% mais cara frente à lista de produtos comprados pelo País. Em outras palavras, para cada tonelada exportada, ganhávamos, liquidamente, 40% de tonelada importada. Assim, de maneira exógena, nos apropriamos do rali das *commodities*, como se chegasse, de navio, um ganho de 40% do exterior para ser distribuído internamente.

Pudemos, desse modo, fortalecer nossas contas externas e distribuir a renda com maior intensidade, preservando a ortodoxia na gestão macroeconômica e o bom diálogo com o empresariado. O gráfico a seguir relaciona a evolução dos termos de troca brasileiros e a composição de reservas internacionais.

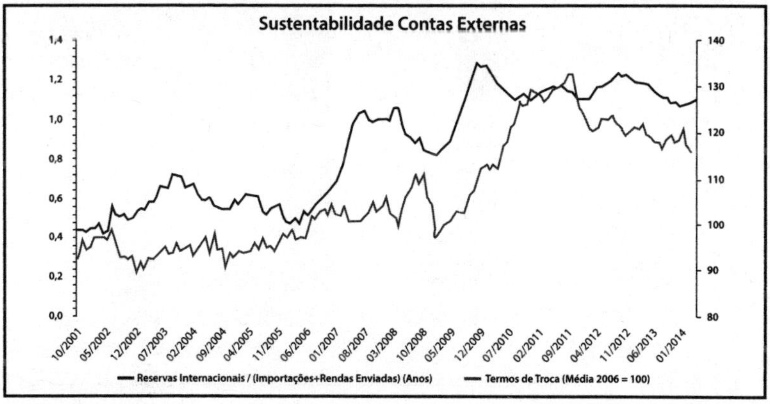

Fonte: BACEN e FUNCEX.

O segundo ciclo decorre do impulso ao consumo estimulado pelo crédito. A taxa de juro foi reduzida dramática e rapidamente, num incentivo vigoroso ao crédito. Ao mesmo tempo, bens de consumo sofreram claros incentivos adicionais, como IPI reduzido para automóveis e linha branca, além de outros programas emblemáticos, como Minha Casa Melhor, concedendo o crédito de R$ 5 mil em créditos, a cada beneficiário, para a compra de móveis e eletrodomésticos, com pagamento em até 48 meses.

As imagens abaixo são bastante ilustrativas do descasamento entre o consumo e os demais setores da economia:

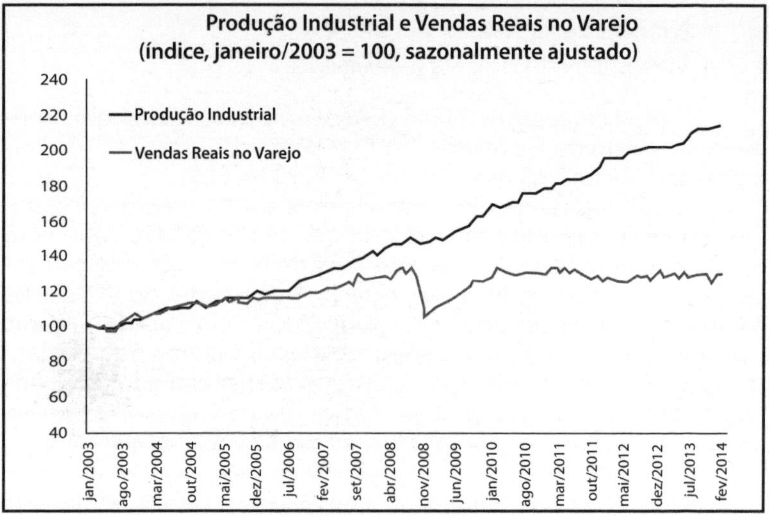

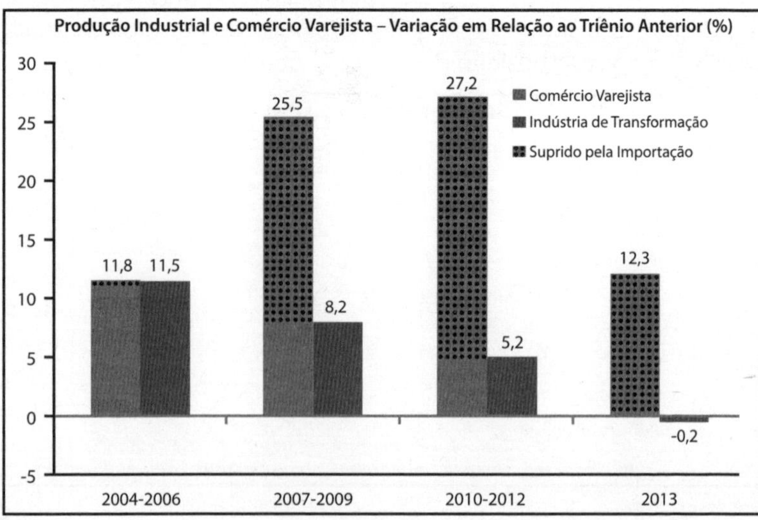

Antecipando um pouco as coisas, há um problema nesse descasamento, associado ao risco de uma crise da espécie de realização dinâmica, derivada de crescimento desequilibrado entre os setores. Com o consumo evoluindo muito acima do investimento, as chances de incremento da demanda agregada em ritmo superior à oferta são substanciais.

O investimento é uma variável-chave da macroeconomia porque, em um primeiro momento, entra do lado da demanda agregada, mas logo depois se converte em oferta. Com investimento muito baixo, a oferta agregada cresce pouco. E, com consumo muito forte, a demanda agregada avança bastante. É exatamente o que se observa durante o governo Dilma.

O próprio Banco Central, ao justificar a escalada da taxa Selic para a casa de 11% ao ano no período, reconheceu, em ata, haver um desalinhamento entre demanda e oferta agregada, com a primeira se expandindo em ritmo superior à segunda.

Avançando no argumento, o *boom* de consumo (demanda) só pode ser atendido com aumento da oferta doméstica ou externa, obviamente. De início, o empresariado responde a um choque positivo de demanda com a utilização maior de sua capacidade instalada.

Ao se preencher essa capacidade de maneira integral (ou perto disso), o mecanismo só continua se houver novos investimentos (expansão do parque industrial), elevação dos preços domésticos (vendo a disposição do consumidor em comprar e sem poder elevar sua produção a curto prazo, o empresário remarca preços) e/ou ampliação das importações, cujo desdobramento imediato é o déficit externo.

Não observamos expansão dos investimentos no Brasil justamente porque não há entre os empresários a percepção de demanda robusta à frente. Desconfiam do ambiente institucional brasileiro e da própria capacidade de manutenção do consumo elevado, posto que o baixo crescimento econômico, cedo ou tarde, trará repercussões sobre a massa salarial em termos reais. Em reforço, o endividamento das famílias já atinge níveis complicados.

O que temos visto, portanto? Justamente remarcação de preços (inflação) e deterioração do déficit em conta corrente, rigorosamente conforme prevê o livro-texto.

O segundo ciclo de crescimento está claramente esgotado. Precisamos de uma nova força motriz para empurrar a economia, necessariamente associada ao investimento. Ele não será possível enquanto a nova matriz econômica estiver em curso.

O professor Delfim Netto tem insistido num gráfico claro sobre o esgotamento da capacidade do atual modelo de crescimento de continuar entregando ganhos de bem-estar à sociedade, depois de anos profícuos assentados sobre o *boom* das *commodities* e a expansão do consumo.

Apresenta-se o gráfico primeiro, para depois explicá-lo.

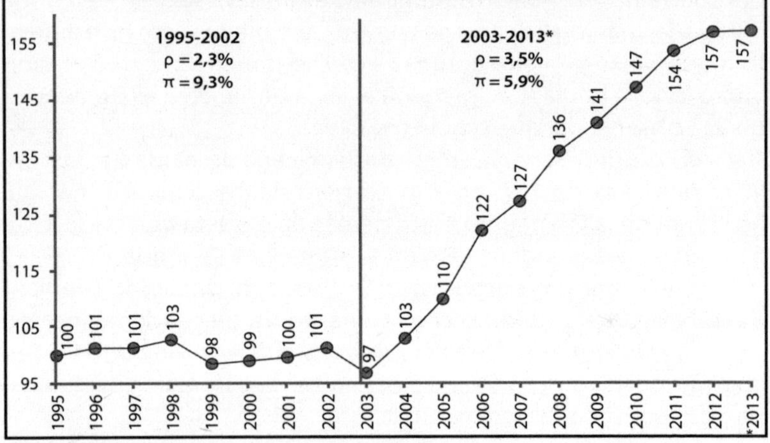

Renda Média x (1 – Coeficiente de Gini) = Índice, 1995 = 100

Fonte: IPEA, a partir dos microdados das Pnads 1995-2001. Exclui domicílio com renda ignorada. Exclui áreas rurais da região norte (exceto Tocantins). Dados para 2000 e 2012 obtidos por interpolação linear.
*Estimativa.

O coeficiente de Gini é uma medida de desigualdade, normalmente usada para medir distribuição de renda, variando de 0 a 1 (ou, de 0 a 100, em termos percentuais). Se for 0, corresponde à perfeita igualdade de renda; já sendo 1, temos a concentração máxima.

Ao subtrai-lo de um e multiplicá-lo pela renda média, temos uma *proxy* para a "condição geral do brasileiro". Estamos, basicamente, ponderando o tamanho do bolo (renda) pela forma como a riqueza tem sido distribuída (Gini). O gráfico ilustra com clareza os benefícios do primeiro e do segundo ciclo de crescimento, procedido pela saturação a partir de 2012.

Precisamos de um terceiro ciclo de crescimento. O esgotamento se faz presente desde 2012, e o prognóstico é de início da queda no caso de manutenção das medidas adotadas até 2014.

A nova matriz econômica

A nova matriz econômica resultou em baixo crescimento e alta inflação. Isso exige pormenorizar a questão. De novo, sem o diagnóstico adequado, podemos descartar de antemão qualquer prognóstico razoável.

Analisemos do começo.

Em reação à crise de 2008, o governo brasileiro adotou uma agenda de medidas heterodoxas sob a veste neodesenvolvimentista, tentando minimizar os efeitos da tormenta internacional.

Revisitando ideias supostamente atribuídas a John Maynard Keynes (mais sobre isso daqui a pouco), desafiamos a cartilha do Consenso de Washington e impusemos um conjunto de medidas cuja representação maior é o aumento da interferência do Estado na economia.

A lista de elementos característicos da nova matriz econômica é extensa. Citando as mais emblemáticas, apontamos: MP 579 (aquela com renovação antecipada das concessões do setor elétrico), controle de preços, política fiscal expansionista, novo marco do setor de petróleo, interferências consecutivas para forçar a queda dos *spreads* bancários, atuações vultosas e frequentes no mercado de câmbio, leniência no combate à inflação, aumento da atuação do BNDES, estímulos aos gigantes nacionais, concessões mal feitas ao se fixar taxa de retorno e qualidade simultaneamente, entre outros.

Permita agora que o próprio Governo apresente a nova matriz econômica.

Em dezembro de 2012, Márcio Holland, secretário de Política Econômica, concedeu entrevista qualificando a nova diretriz macroeconômica a partir de três pontos: i) taxa de juro baixa; ii) taxa de câmbio competitiva; e iii) consolidação fiscal amigável ao investimento (seja lá o que quis dizer com esse último ponto).

Sobre a taxa de juro, Holland destacou a queda de 5,25 pontos percentuais em 12 meses, num processo que permitiria aos agentes econômicos rever seus modelos de negócio e criar um ambiente favorável ao crescimento. Parecia fazer sentido.

O governo Dilma havia começado com taxa Selic de 10,75% ao ano, levara o juro básico num primeiro momento a 12% para combater a inflação e logo implementara afrouxamento monetário vigoroso, levando a Selic ao piso histórico de 7,25% ao ano.

Não há mentiras nem falhas de interpretação até aqui. O problema se inicia no diagnóstico de que havíamos encontrado um novo equilíbrio de taxa de juro. Observamos, momentaneamente, uma janela de oportunidade, aberta por uma combinação sem precedentes de juros reais negativos (e nominais zerados) no exterior, choques positivos de oferta e ampliação do hiato do produto doméstico no pós-Lehman Brothers.

A interpretação foi equivocada. Não houve qualquer novo equilíbrio de juros. A taxa Selic voltou a um nível superior àquele do início da administração Dilma, e somente não sobe mais por uma razão eleitoral - a inflação namora o teto da meta e as expectativas se mostram bastante altas (voltaremos a isso à frente), mesmo com o controle de preços nos setores de energia e combustíveis.

O segundo ponto do tripé, ao menos na concepção da coisa, era a taxa de câmbio competitiva, que permitiria ao Brasil, em tese, recuperar espaço no comércio mundial e ter um modelo *export-led growth*, em que as vendas externas puxam o crescimento.

As evidências contrárias à tese são das mais variadas possíveis. A primeira é de que quase metade da desvalorização cambial observada na administração Dilma acaba corroída pela inflação (dada pelo aumento dos salários) e pela produtividade estagnada.

A desvalorização do real veio do elevado déficit externo, com ligação à falta de poupança pública, e da deterioração generalizada dos fundamentos. A variável melhora basicamente por um ajuste automático do modelo, dado pelo incremento da vulnerabilidade brasileira nas contas externas. Não há qualquer ganho de competitividade das exportações oriundo de melhora dos fundamentos macroeconômicos brasileiros.

Outro argumento para desqualificar a suposta robustez da concepção inicial em prol do câmbio depreciado decorre da própria mudança de atitude do Banco Central. Se, inicialmente, a autoridade monetária atua para tornar o câmbio competitivo (desvalorizado), as intervenções em 2013 passam a ser no sentido inverso, de manter o real apreciado para combater a inflação.

Essa mudança de comportamento acontece sob o discurso de "necessidade de reduzir a volatilidade do câmbio" - o dólar havia encostado em R$ 2,45, gerando preocupações sobre a redução da liquidez internacional, quando de sinalizações do Federal Reserve de que o processo de subida de taxa de juro nos EUA poderia começar. Isso, supostamente, teria forçado a autoridade monetária a suavizar os pulos do dólar.

Ocorre que, mesmo sob redução dramática da volatilidade da taxa de câmbio, o Banco Central brasileiro continuou com a mão pesada. De maio de 2013 a abril de 2014, as intervenções no mercado de câmbio superaram US$ 100 bilhões, sendo US$ 86,9 bilhões em *swaps* cambiais (que equivalem a operações no mercado futuro de câmbio) e US$ 16,7 bilhões em linhas de dólar com compromisso de recompra - trata-se da maior colocação entre 15 mercados emergentes. Em julho, a posição total do BC em *swaps* somou US$ 90,2 bilhões.

Houve aumento da volatilidade cambial no terceiro trimestre de 2013, de tal sorte que também pudemos acompanhar intervenções em outras divisas sul-americanas, como Colômbia, Peru e Chile - claro, em intensidade inferior à brasileira. Já no segundo trimestre de 2014, porém, a volatilidade caiu para níveis notadamente inferiores à média histórica, e o Banco Central brasileiro continuou intervindo no câmbio com a mesma magnitude.

A autoridade monetária brasileira, de modo a não recorrer ao instrumento do juro básico para combater a inflação, começa a usar (e abusar) do instrumento do câmbio. Com isso, desafia a ortodoxia de política monetária, cuja consagração em nível global aponta para o juro (e não para o câmbio) como ferramenta de controle dos preços.

Ter uma meta para o câmbio afronta um princípio clássico do tripé original, o de que a relação entre dólar e real deve ser definida pelas condições de mercado. Não seria este o princípio do câmbio flutuante, fundamental para amenizar choques externos?

Voltando ao terceiro ponto proposto por Márcio Holland, a fragilidade é ainda maior. Esse último ponto é, certamente, o mais capcioso. A política fiscal brasileira tem sido desastrosa, não havendo qualquer tipo de consolidação ao investimento. O Governo tem, cada vez mais, ocupado o espaço do investimento privado, sem ele mesmo preencher adequadamente essa lacuna.

Na entrevista feita em 2012, Holland foi categórico: "No ano que vem, voltamos à meta de superávit cheia, sem desconto." Ou seja, falávamos de um primário de 3,1% do PIB para 2013.

E o que aconteceu, de fato? O superávit primário do ano em questão foi de 1,9% do PIB, mesmo com as receitas extraordinárias do campo de Libra e do Refis. Filtrando por esses elementos, teríamos um primário pífio de 0,9% do PIB.

Poder-se-ia argumentar que o primário foi menor porque o próprio governo resolveu fazer investimentos, tendo notado ausência desse componente no setor privado. Isso já seria ruim, per se, dado o impacto de queda média da produtividade. Mas nem sequer é verdadeiro.

Tirando as estatais, o investimento público da União passou de R$ 59,4 bilhões, em 2012 (equivalente a 1,35% do PIB), para R$ 63,2 bilhões, em 2013 (1,31% do PIB).

E, depois de descumprir a meta em 2013, a primeira metade de 2014 mostrou números ainda piores, com deterioração de todos os indicadores. No acumulado de 12 meses, o déficit nominal atingiu 3,61% do PIB, contra 2,82% em igual intervalo de 2013. O superávit primário foi o pior desde 1998 - da meta de R$ 80,8 bilhões definida para 2014, apenas R$ 15,4 bilhões foram economizados na primeira metade do ano. Considerando os dados disponíveis sobre o primeiro semestre de 2014, o superávit primário monta a apenas 1,36% do PIB.

Então, pergunta-se: a que consolidação fiscal se refere o Governo?

A nova matriz econômica representa um embate frontal ao tripé macroeconômico estabelecido em 2014, significando uma política frouxa de combate à inflação (dada pela perseguição de uma taxa de juro baixa), o abandono do câmbio flutuante a partir da maior intervenção do Banco Central e o desajuste das contas públicas por meio de uma política fiscal expansionista.

Sem querer antecipar conclusões - dedicaremos um capítulo integralmente a isso , o resultado representa inflação no teto da meta, da ordem de 6,50%, mesmo com represamento de preços, crescimento econômico inferior a 1%, dependência de capitais de curto prazo para fechar as contas externas, desaquecimento paulatino do mercado de trabalho e redução da indústria.

Em se aprofundando a nova matriz econômica ou com ela sendo apenas mantida, a tendência à frente é uma intensificação das mazelas.

Este livro é escrito por um apaixonado pelo Brasil, por alguém otimista em relação às potencialidades do País a médio e longo prazo. Explorar as oportunidades, porém, exige o resgate imediato da ortodoxia na política econômica, sob o risco de matarmos tudo o que foi construído e assentado a partir de 1994.

Capítulo 2

Otimismo, volver!

- *Três pilares macroeconômicos.*
- *Uma xícara de corrida eleitoral.*
- *Duas xícaras de equívocos de política econômica.*
- *Uma colher de incerteza na economia internacional.*
- *Uma dose de cerceamento da liberdade de expressão.*

Quebre os três pilares macroeconômicos e mexa bem. Adicione a xícara de corrida eleitoral e as duas xícaras de equívocos de política econômica. Bata tudo em um mesmo recipiente até obter uma mistura homogênea. Depois, acrescente, cuidadosamente, a colher de incerteza na economia internacional. A dose de cerceamento da liberdade de expressão deve respeitar o gosto de cada um. Leve ao forno por doze meses.

Pronto. Delicie-se com o aperitivo que originou a tese *O fim do Brasil.* Fique tranquilo, a cultura gastronômica ainda não é alvo de represálias, caso não agrade o chefe de Estado.

O medo é outro. Livros-textos de economia e conhecimentos empíricos foram violados. Que bom seria se uma receita de bolo resolvesse o problema de credibilidade. Não adianta. E, para piorar, nem todo mundo pode se manifestar.

Eu, Felipe Miranda, fui acusado de terrorismo financeiro. Minha análise sofreu o golpe da censura. Senti dor, engoli seco, mas não abaixei a cabeça. Firme, olho a paisagem ao redor e meu patriotismo padece da ausência de motivos para sorrir.

"Se a presidente Dilma ganhar, eu volto para os Estados Unidos." A confidência foi feita a amigos por um dos gestores de recursos mais respeitados do país. Em condições normais de temperatura e pressão, a frase caberia como peça de museu, simbolizando um Brasil do início da redemocratização, com a Constituição de 1988.

Mas ela foi dita em meio à alta voltagem da corrida eleitoral de 2014.

São 25 anos de distância, desde a época em que o empresário Mário Amato profetizou, em 1989, que 800 mil empresários deixariam o país caso Luiz Inácio Lula da Silva ganhasse as eleições presidenciais contra o então candidato Fernando Collor de Mello. Ainda era a pré-história econômica brasileira.

Collor bateu Lula, porém o sono tranquilo do empresariado durou pouco. Assim que assumiu a Presidência, Collor decretou o bloqueio de saques de aplicações financeiras com o intuito de sequestrar o dinheiro em circulação e combater a alta galopante dos preços. O choque traumatizou uma geração. Escancarou a vulnerabilidade do bolso das pessoas aos desígnios das políticas econômicas.

Somente anos depois, em 1994, a sociedade conquistaria a estabilidade da moeda. Era a gênese da história do Brasil que conhecemos hoje. Sob pilares construídos no governo de Fernando Henrique Cardoso, o Brasil criança ingressaria na fase da distribuição de renda, ganhando vigor na gestão Lula, ao longo do período de 2003 a 2010.

Infelizmente o vento a favor se dissipou. Inserido em um mundo complexo ainda cheio de cicatrizes da crise de 2009, o Brasil adolescente, aos vinte anos de idade, agoniza nos resquícios do último ciclo de crescimento, pautado pelo consumo.

Não bastassem os dilemas de ordem econômica, o discurso político se radicalizou de forma virulenta no país, com ápice na eleição de 2014.

Se a tese de Amato parecia obsoleta até pouco tempo, o que dizer de uma ação ostensiva da coligação de partidos da presidente para censurar análises financeiras?

Antes, vamos ao contexto. Desde a condenação de importantes figuras da cúpula petista, pelo Supremo Tribunal Federal (STF), por corrupção, em outubro de 2012, lideranças do partido intensificaram o mantra do "nós contra eles". Em outras palavras, a política brasileira se resumiria a uma disputa de classes entre os trabalhadores assalariados e os patrões capitalistas.

A abordagem temática provoca um retrocesso no debate de políticas econômicas.

A camada da população que ascendeu socialmente com o avanço da renda, também favorecida pelos programas assistencialistas, como Bolsa Família e Minha Casa Minha Vida, ainda colhe louros de êxitos do governo Lula. Para este eleitor, o "nós contra eles" entra na cabeça como um plebiscito entre garantir ou não as conquistas recentes.

Já o setor privado, ilustrado pelos empresários, percebe a piora dos fundamentos econômicos e calcula o impacto em seus negócios. Sem previsibilidade e ações práticas da máquina pública, engavetam projetos em postura de *stand-by*.

Forma-se, assim, um dos vértices da crise que se avizinha no Brasil, cujas características foram apresentadas no Capítulo 1 e serão detalhadas nas próximas páginas. Chamo atenção aqui apenas para as derivações econômicas do radicalismo político.

A esta altura, não há boas novas para o mercado financeiro. Em entrevista ao jornal *Folha de S. Paulo*, publicada no dia 5 de agosto de 2014, o próprio economista Luiz Gonzaga Belluzzo, um dos conselheiros da presidente Dilma Rousseff, afirmou que "será muito difícil impedir pelo menos um trimestre de recessão. A economia está realmente resvalando para uma recessão ou para um crescimento extremamente baixo".

Um economista emitir tal opinião deveria ser algo trivial em favor do debate. Mas não vem sendo assim. Os líderes da campanha à reeleição de Dilma veem os financistas como terroristas. E relacionam o "pessimismo" a objetivos eleitorais.

Ora, ao acusar os analistas de mercado de tentar influenciar voto, os petistas associam o capital a determinada ideologia. Isso fere uma das proposições marxistas mais convencionais de que o dinheiro busca, apenas, tornar-se mais dinheiro. É a clássica formulação D-M-D, ou seja, de que o dinheiro (D) vira mercadoria (M) para voltar a ser mais dinheiro (D').

Dinheiro não tem carimbo, capital não tem ideologia. Ao vender ações de estatais (e outras, em âmbito geral), a partir do ganho de espaço da situação nas pesquisas eleitorais, o investidor apenas demonstra uma crença de que, sob a atual administração, os lucros por ação serão menores. E se isso acontece em nível agregado, com todas as empresas, é porque a própria Economia iria mal.

Reforça-se: a discussão é econômica. Investimento não admite o clima de "nós contra eles". É ele (dinheiro) com ele mesmo (mais dinheiro).

Não é à toa o desejo de mudança de um dos maiores gestores do país. Nem mera coincidência o fato de uma das maiores corretoras do Brasil inaugurar dois escritórios nos EUA, um em Nova York e outro em Miami, de prontidão para abrir contas de brasileiros.

Como analista da investimento, é meu dever fiduciário falar o que penso. Simples assim. Não há protesto nem receita de bolo...

A censura

Na semana do dia 21 de julho de 2014, um telefonema incomum ocorreu na sala de retaguarda de vendas da Empiricus Research.

"- Bom dia! Falo da Procuradoria-Geral Eleitoral. Gostaria de confirmar o endereço, pois estamos enviando um documento..."

A informação surpreendeu a todos na área de análise da empresa que ajudei a fundar. Diariamente recebemos centenas de ligações, afinal produzimos conselhos para auxiliar nas finanças pessoais de milhares de brasileiros. Mas procuradoria eleitoral...

Depois de conversar com a equipe, concluímos que o contato poderia se referir às nossas campanhas de marketing na internet que abordavam a eleição de 2014. A política contaminou os preços dos ativos brasileiros neste ano (falarei mais disso nos próximos capítulos). Não há como se furtar de relatar a verdade dos fatos a quem nos paga justamente para ouvi-la. Funciona assim desde 2009.

Naquele ano eu criei a Empiricus, ao lado de Caio Mesquita, nosso CEO, e Rodolfo Amstalden, nosso economista-chefe. Era o passo mais ambicioso em minha trajetória no mercado financeiro desde quando comecei a mexer com ações, aos catorze anos, por influência de meu pai - meu herói.

Nós três conhecíamos de perto o mundo das recomendações de finanças no Brasil. Um clube dominado por textos em inglês, produzidos por um seleto grupo de bancos estrangeiros e lidos por uma fatia ínfima da comunidade investidora. Havia, claro, conteúdo em português, porém, ligado a um banco ou a uma corretora.

A diferença entre ler a Empiricus e outro conselho financeiro é a independência. O dinheiro entra na Empiricus unicamente por meio da venda de análises. Não fazemos qualquer tipo de serviço de intermediação financeira, nem pretendemos fazer.

A outra distinção é o estilo do texto. Incorporamos ao conteúdo nosso jeito de falar de dinheiro, sendo simples e direto. Nossos analistas têm mais vocação para mundo real do que tara em planilhas de Excel no computador.

A originalidade do modelo de negócios se fortaleceu a partir de 2012. Interessado em fincar os pés no Brasil, o grupo americano Agora Inc selou um casamento com a Empiricus, virando sócio com 50% do capital. Presente em 14 países, a Agora vende conteúdo independente de investimento desde 1979. Seu fundador, William "Bill" Bonner (xará do apresentador de TV), foi um dos primeiros a publicar *newsletters* no mundo.

A união transformou a Empiricus. Contando com a ajuda de *newsletters* gratuitas e campanhas de marketing digital, nosso conteúdo atingiu, em 2014, cerca de 500 mil pessoas - metade do público estimado da Agora Inc.

Desde o início do relacionamento, os americanos sugeriram o uso de uma carta idealizada por uma das afiliadas, a Stansberry

& Associates, de Porter Stansberry, chamada *The End of America*. Havia ali estratégias de marketing para chamar a atenção a um argumento. No caso dos EUA, a tese em prol do fim do dólar como reserva de valor.

Aqui no Brasil, ao mesmo tempo, assistíamos à deterioração contínua de fundamentos econômicos sem perspectiva de melhora, em pleno ano eleitoral. No início de 2014 fiz uma imersão nas raízes do cenário econômico brasileiro. Após meses de estudo, cheguei a conclusões importantes e que deveriam ser do conhecimento de todos os brasileiros.

A percepção de uma crise plantou a semente de *O fim do Brasil*. Adotamos apenas a estrutura do começo e do final da carta original do Porter. O meio do texto, que é justamente a argumentação, aquilo que importa, a tese, é completamente diferente. O que interessa destacar aqui é que estamos destruindo o que havíamos construído desde o Plano Real.

Nossos sócios não somente autorizaram a cópia da estrutura (e não do argumento), como estimularam e elogiaram muito a versão final.

A título de comparação, apreciaríamos se também nossa gestão de política econômica fosse cópia da ortodoxia, de séculos de estudo em teoria econômica, em vez de uma invenção heterodoxa batizada de "nova matriz econômica", cujos resultados têm destruído o País. Não precisamos ser originais. Precisamos fazer o certo.

"Nada se cria, tudo se transforma", definiu Antoine Lavoisier, cientista francês do século XVIII que contribuiu de forma singular com o estudo da Química. Pai da lei da conservação da massa, sua frase até hoje ganha adaptações quando o assunto é internet.

Mas a velocidade da inovação tecnológica não tem o mesmo ritmo da burocracia jurídica. Sabíamos disso quando recebemos a ligação da Procuradoria-Geral Eleitoral. Era quase certo que estavam notificando a Empiricus pelos anúncios de análises do impacto das eleições no mercado.

Além da carta apresentando a tese *O fim do Brasil*, nós também veiculávamos campanhas no Google para atrair novos leitores ao conteúdo da Empiricus. E a corrida presidencial exerce influência nas cotações das ações em Bolsa. Saber como se dão tais correlações interessa a nosso cliente que quer ganhar dinheiro no mercado de ações.

Não há nem jamais haverá interesse eleitoral em nossas análises. Por definição, a Empiricus é apartidária, cada um aqui vota em quem bem entender. Sou crítico à interferência do Estado na economia, e na vida das pessoas. Quanto mais isso atrapalhar a construção de riqueza, mais incomodará nosso leitor, que demandará proteção.

A base de coligação de partidos em favor da reeleição de Dilma Rousseff, e a própria presidente, discordaram do argumento. Na sexta-feira daquela semana, dia 25 de julho de 2014, eles entraram com uma representação junto ao TSE (Tribunal Superior Eleitoral) acusando a Empiricus, o Google e a campanha de Aécio Neves de fazer propaganda eleitoral antecipada na internet.

Durante o fim de semana, troquei telefonemas com meus sócios, mas não havia muito a fazer naquele momento se não esperar que o documento chegasse à sede da Empiricus.

A sensação era a pior possível. Somos uma consultoria independente, temos o direito de fazer análises sobre o impacto das eleições na Bolsa de Valores. Relação com o Aécio Neves? Parecia um pesadelo do qual eu ainda demoraria pra acordar.

Finalmente, a representação chegou na sede da Empiricus.

Dilma

Tribunal Superior Eleitoral
PROTOCOLO JUDICIARIO
17.712/2014 Cópia.
25/07/2014-16:25

COLIGAÇÃO COM A FORÇA DO POVO (PT-PMDB-PSD-PP-PR-PROS-PDT-PCdoB-PRB)
DILMA - PRESIDENTA / MICHEL TEMER - VICE

CONTRAFÉ

EXCELENTÍSSIMO SENHOR DOUTOR MINISTRO PRESIDENTE DO EGRÉGIO TRIBUNAL SUPERIOR ELEITORAL

COLIGAÇÃO COM A FORÇA DO POVO, formada pelos partidos PT-PMDB-PSD-PP-PR-PDT-PROS-PCdoB e PRB, e **DILMA VANA ROUSSEFF**, candidata à Presidência da República pela Coligação Com a Força do Povo, ambas com qualificação constante do registro de candidatura formalizado perante o E. Tribunal Superior Eleitoral, vêm respeitosamente perante Vossa Excelência, através de seus advogados subscritos (com procuração arquivada na secretaria do E. TSE), alicerçados na legislação regente, com força no art. 57-C e o seu § 1º, I, e art. 57-E, § 1º da Lei 9.504/97, interpor a presente

REPRESENTAÇÃO com pedido de liminar

em face de **EMPIRICUS CONSULTORIA & NEGÓCIOS**, pessoa jurídica com inscrição no CNPJ n. 11.431.155/0001-07, com endereço na Rua Iguatemi, 354, Itaim Bibi, CEP 01451-010, São Paulo – SP; **AÉCIO NEVES DA CUNHA**, candidato à Presidente da República pela Coligação Muda Brasil, devidamente qualificado no pedido de registro de candidatura protocolado junto ao E. Tribunal Superior Eleitoral; **COLIGAÇÃO MUDA BRASIL**, formada pelos partidos PSDB-DEM-PEN-PMN-PTB-PTC-PTN-PTdoB-Solidariedade; **GOOGLE BRASIL INTERNET LTDA**, pessoa jurídica de direito privado, inscrita no CNPJ/MF sob o n.º 06.990.590/0001-23, com endereço na Av. Brigadeiro Faria Lima, 3477 - 18º andar, CEP 04538-133, Itaim Bibi, São Paulo, SP; pelos fatos e fundamentos legais que se passa a expor.

1

Àquela altura não duvidamos do pior. Uma rápida pesquisa na internet evidenciava que a Empiricus havia entrado na lista negra do Partido dos Trabalhadores. Sites noticiosos e *blogs* financiados por empresas estatais publicavam informações falsas insinuando o envolvimento da Empiricus com partidos de oposição.

Mas aquela semana ainda estava começando. No dia 28 de julho de 2014, um texto do Banco Santander, enviado a clientes com renda superior a R$ 10 mil, inflamou o debate eleitoral. Não pelo texto em si, que aliás agregava pouca informação, mas sim pela reação de autoridades a partir dali.

O texto "Você e Seu Dinheiro" dizia o seguinte: "A quebra de confiança e o pessimismo crescente em relação ao Brasil em derrubar ainda mais a popularidade da presidente, que vem caindo nas últimas pesquisas, e que tem contribuído para a subida do Ibovespa. Difícil saber até quando vai durar esse cenário e qual será o desdobramento final de uma queda ainda maior de Dilma Rousseff nas pesquisas. Se a presidente se estabilizar ou voltar a subir nas pesquisas, um cenário de reversão pode surgir. O câmbio voltaria a se desvalorizar, juros longos retomariam alta e o índice da Bovespa cairia, revertendo parte das altas recentes. Esse último cenário estaria mais de acordo com a deterioração de nossos fundamentos macroeconômicos".

Logo cedo, enquanto líamos a representação contra a Empiricus, a manchete "Santander alerta clientes sobre Dilma" pautava o noticiário econômico na Internet.

As redações dos grandes jornais em São Paulo e no Rio de Janeiro acompanhavam o assunto ainda sem noção exata da irritação provocada na cúpula do PT. As sucursais em Brasília comunicaram os colegas sobre a ira do governo com o texto do Santander.

Não demorou para o banco postar na capa do site na internet um "pedido de desculpas".

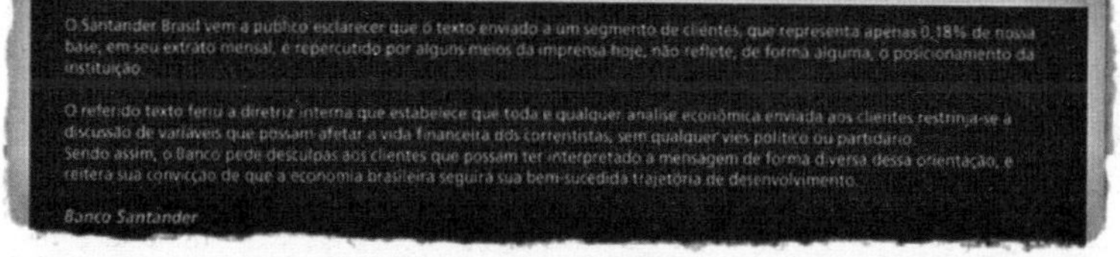

IMPORTANTE

O Santander Brasil vem a público esclarecer que o texto enviado a um segmento de clientes, que representa apenas 0,18% de nossa base, em seu extrato mensal, e repercutido por alguns meios da imprensa hoje, não reflete, de forma alguma, o posicionamento da instituição.

O referido texto feriu a diretriz interna que estabelece que toda e qualquer análise econômica enviada aos clientes restrinja-se à discussão de variáveis que possam afetar a vida financeira dos correntistas, sem qualquer viés político ou partidário.
Sendo assim, o Banco pede desculpas aos clientes que possam ter interpretado a mensagem de forma diversa dessa orientação, e reitera sua convicção de que a economia brasileira seguirá sua bem-sucedida trajetória de desenvolvimento.

Banco Santander

Repare neste trecho: "O referido texto feriu a diretriz interna que estabelece que toda e qualquer análise econômica enviada aos clientes restrinja-se à discussão de variáveis que possam afetar a vida financeira dos correntistas, sem qualquer viés político ou partidário".

A sensação aqui na Empiricus foi de perplexidade. Qual o juízo de valor citado? Qualquer pessoa que acompanha com um mínimo de atenção os cadernos de economia saberia escrever tais linhas. Contra fatos não há argumentos. Este é o primeiro ponto.

Em segundo lugar, é absolutamente legítimo ao banco falar sobre o tema a uma determinada faixa de clientes. Se a direita ou a esquerda vão gostar, não é problema do banco, certo?

Ao pedir desculpas publicamente, o banco expõe o jogo do sistema financeiro. Há conflitos em conjugar um bom relacionamento com governos e indicar as melhores recomendações aos correntistas. Ainda mais em tempos de radicalização do discurso político e iminente crise no Brasil.

A Empiricus tem um compromisso exclusivo com os interesses dos seus clientes. Após uma rápida reunião, decidimos enviar uma nota para esclarecer os últimos fatos. Usaríamos nossa *newsletter* mais influente, a "Mercado em 5 minutos", e também divulgaríamos o conteúdo à imprensa.

Segue abaixo na íntegra o conteúdo da nota, publicada no dia 28 de julho de 2014:

"00:10 - Nota de esclarecimento

Soubemos na sexta-feira que a coligação da presidente Dilma Rousseff entrou com representação no TSE contra a coligação de Aécio Neves, a Empiricus e o Google, por nossas campanhas na internet. O argumento seria de que, supostamente, faríamos propaganda eleitoral indevida.

Antes do argumento, em si, em prol da desqualificação de propaganda eleitoral pela Empiricus, cumpre esclarecimento ético e moral. Ao entrar com representação contra Aécio Neves, Empiricus e Google, suponho que a coligação da presidente entenda que há alguma relação entre as partes.

Posto isso, convido a coligação - e mais quem quiser - a mostrar/provar a existência de relacionamento, em qualquer instância, entre a Empiricus e Aécio Neves.

00:56 - Opinião ou mera constatação histórica?

Deixe-me agora explicar um pouco mais sobre as tais campanhas da Empiricus no Google e em outros veículos na internet. Permita-me começar do começo - avançaremos rapidamente.

Relato abaixo a correlação entre a divulgação de pesquisas eleitorais e a reação dos ativos financeiros brasileiros.

No dia 06 de junho, pesquisa do Datafolha mostrou que a presidenta Dilma continuava em queda em relação às pesquisas anteriores. De fevereiro ao início de junho, a queda foi de 10 p.p. Aumentou o número de eleitores indecisos de 8% para 13%. Numa simulação de segundo turno contra o candidato Aécio Neves, a diferença diminuía 3 p.p. em relação à pesquisa anterior. O Ibovespa subiu 3,05%.

No dia 02 de julho, pesquisa do Datafolha divulgou estabilização das intenções de voto em Dilma, no segundo turno, e um ganho de espaço tanto do candidato Aécio Neves quanto de Eduardo Campos. Ibovespa subiu 1,60%.

No dia 17 de julho, pesquisa do Datafolha mostrou segundo turno com empate técnico entre Dilma (44%) e Aécio (40%). Numa simulação entre a presidenta e Eduardo Campos, o resultado também teve delta diminuído para 45% a 38%. Avaliação positiva do Governo caiu 3 p.p.. O Ibovespa subiu 2,47%.

No dia 22 de julho, pesquisa do Ibope mostrou um possível segundo turno entre Dilma e Aécio com 41% para a presidente e 33% para a oposição, diminuindo o ganho de espaço de Aécio divulgado na pesquisa do Datafolha do dia 17 de julho. O Ibovespa caiu 0,97%.

Acrescento manchetes dos mais reputados jornais do país para referendar o argumento. Não sou eu, nem o Santander quem está falando:

Da Folha, em 6 de junho:

Dilma cai em pesquisa e faz Bolsa ter melhor semana desde março

Do Estadão, em 18 de julho:

Petrobras dispara e Bolsa sobe 2,5% após pesquisa eleitoral

Do Globo, em 27 de março:

Bolsa sobe 3,5% e tem a maior alta em sete meses após pesquisa mostrar queda na popularidade do governo

Não há requisito algum de treinamento em estatística para constatar o óbvio: pesquisas favoráveis a Dilma Rousseff implicam, ceteris paribus, depreciação dos ativos financeiros brasileiros. Reitero: isso não é opinião, é fato.

Os mercados reagem de forma diferente a maiores possibilidades em favor de Aécio e de Dilma. Evidentemente, não há qualquer prognóstico de ruptura dessa correlação. Se foi assim no passado e está sendo assim no presente, assume-se que a mesma dinâmica continuará à frente, posto que não há fatos novos representando uma quebra estrutural no processo.

Peço a gentileza de que guardem esse ponto. Voltarei a ele.

01:43 – Aula de Google Adwords a quem não estudou Darwin

Apresento abaixo as campanhas publicitárias no Google que geraram descontentamento na coligação de Dilma Rousseff.

Como se Proteger da Dilma
Saiba Como Proteger seu Patrimônio
em caso de Reeleição da Dilma, Já
empiricus.com.br/Ações_Seguras

E Se Aécio Neves Ganhar?
Que Ações Devem Subir se o Aécio
Ganhar a Eleição? Descubra Aqui, Já
empiricus.com.br/Eleição_Presidente

Como se faz normalmente campanhas no Google? Nós acreditamos apenas no teste e na observação. É assim que se faz ciência.

A princípio, você não sabe qual campanha publicitária será rentável ou não. Então, lançam-se vários anúncios simultâneos no ambiente do Google. Eles passam a concorrer entre si e, num processo semelhante à seleção natural, uns performam melhor do que outros. O próprio Google, através de seus algoritmos, identifica os mais adaptados e, por relevância, passa a exibir com maior frequência os mais aptos.

A Empiricus, por sua vez, respeitados os princípios da ética, retira do ar os anúncios anteriores que vinham performando mal, deixando apenas os melhores - ninguém vai fazer campanha publicitária para perder dinheiro.

Apresento abaixo todos os demais anúncios relativos a Dilma Rousseff, Aécio Neves e Eduardo Campos. Colocamos todos eles no Google originalmente. O processo de seleção natural darwinista mostrou-nos quais foram os dois anúncios mais aptos eram justamente os mostrados abaixo.

E Se o Campos Ganhar?
Que Ações Devem Subir se Eduardo
Campos Ganhar a Eleição? Descubra
empiricus.com.br/Eleição_Presidente

E Se o Eduardo Ganhar?
Que Ações Devem Subir se Eduardo
Campos Ganhar a Eleição? Descubra
empiricus.com.br/Eleição_Presidente

E Se a Dilma Ganhar?
Que Ações Devem Subir se a Dilma
Ganhar a Eleição? Descubra Aqui, Já
empiricus.com.br/Eleição_Presidente

02:00 - Versão for dummies

Aos pouco familiarizados, explico em detalhes a natureza de campanhas publicitárias no Google. Funciona assim: a empresa anunciante (no caso, Empiricus) monta seus anúncios a serem veiculados nos mecanismos de busca do Google (search) e também nos variados sites (display) - aqui, vou me concentrar no display, que parece o foco da discussão.

O Google, através de seus algoritmos capazes de identificar relação entre os temas dos sites e dos anúncios, passa a imprimir as diversas campanhas nos tais sites. Note que, no momento da visualização apenas, não há ainda qualquer pagamento da empresa anunciante ao Google e/ou aos sites. Dá-se o primeiro desembolso apenas quando há clicks nos anúncios. Somente ocorrendo o click, a Empiricus paga ao Google, que repassa um percentual aos respectivos sites.

Obviamente, o Google e os sites com links patrocinados querem faturar. Portanto, é de seu interesse maximizar o número de clicks.

Dessa forma, os algoritmos do Google premiam os anúncios mais clicados, que passam a ser impressos com maior frequência. Então, o sucesso de um anúncio específico (medido pelos clicks) entra num processo de retroalimentação (mais clicks, mais exibições mais clicks...). É assim que sempre acontece. Foi assim que aconteceu conosco.

Fica claro, portanto, que as campanhas publicitárias no Google têm única e exclusivamente interesse financeiro e econômico, sem qualquer veiculação política - e refletem preferências da demanda.

02:31 - Aula de Economia a quem não teve

Há três princípios a serem perseguidos na Economia, a saber:

Eficiência, entendida sob a ótica paretiana, ou seja, de que as alocações ótimas são aquelas em que você não pode melhorar a situação de alguém sem piorar a de outrem;

Equidade horizontal, com referência ao tratamento igualitário aos iguais; e

Equidade vertical, com referência ao tratamento não igualitário aos desiguais.

Agora retomo o ponto original. Ora, se é um fato - e não uma opinião - que os mercados reagem de forma diferente a Aécio (e Campos) ou Dilma, então não se pode, ao falar dos mercados, dar tratamento igualitário a Aécio e Dilma. Questão de equidade vertical. De novo, não se trata de propaganda eleitoral, mas de um princípio essencial estudado na Economia e do qual um economista/financista não pode fugir ao fazer sua análise.

É o que nós fazemos, por vocação. É o mesmo que o Santander fez. A diferença é que nós não pediremos desculpas por falar a verdade e aconselhar, sem qualquer parcialidade e apoiados apenas em fatos, nossos clientes e leitores.

Lembro de episódio recente. Em evento na Bahia no dia 27 de junho, o ex-presidente Lula alertou, sob o contexto das reações da Bolsa, que o mercado não elege presidente. Essa seria uma função do povo. O que há implícito no racional? O próprio Lula reconhece que o mercado não gosta de Dilma - portanto, a Bolsa cai e o dólar sobe com maior probabilidade de sua reeleição. O ex-presidente, usando outras palavras, disse o mesmo que o Santander.

Posto que os dois disseram a mesma coisa, então, das duas, uma: i) o Santander não fez propaganda eleitoral, contrariando as acusações do governo; ou ii) Lula fez campanha eleitoral, contra seu próprio partido.

02:56 - Vocação

Nossa razão de existir sustenta-se na associação de cenários e nas probabilidades de seus respectivos impactos sobre os ativos financeiros. Ao tentar censurar isso sob a pretensa alegação de propaganda eleitoral gratuita, a coligação de Dilma tenta restringir não somente a Empiricus, mas o próprio fomento de consultorias independentes.

Se não podemos falar das eleições durante o período eleitoral, justamente quando seu impacto nos mercados é relevante, quando o faremos? Quando não tiver a menor importância?

03:17 - Sobre meu realismo no mercado financeiro

A representação contra Empiricus, Aécio e Google (não necessariamente nessa mesma ordem) acusa minha tese de título O fim do Brasil de terrorismo no mercado financeiro. Caso você ainda não tenha assistido ao vídeo, recomendo fortemente que o faça. Ele já foi visto por uma infinidade de pessoas e tem se espalhado numa velocidade assustadora.

No Brasil é assim: com ajuda do japonês, a gente sofre para ganhar da Croácia. Empata com México e passa um calorzinho no primeiro tempo contra Camarões. Empata com a potência Chile e sofre para passar da Colômbia. Vamos jogar contra a Alemanha e estão todos otimistas.

Em toda a Copa, fizemos apenas um bom primeiro tempo nas oitavas de final e foi o suficiente para resgatar a mística da amarelinha.

Política econômica não se faz com mística, meia marrom da sorte do Arnaldo César Coelho ou otimismo. Faz-se com realismo e respeito a séculos de conhecimento acumulado. Inventar uma nova matriz econômica parece mais com terrorismo do que o apontamento de ferimentos à ortodoxia e ao clássico tripé macroeconômico.

Foi este otimismo que nos fez tomar de 7×1 da Alemanha. É a mesma incapacidade de enxergar a realidade que nos faz tomar 7% (6,5% para ser preciso) da inflação x 1% de crescimento (0,9% para ser preciso).

A tese sobre o fim do Brasil não é pessimista. Ela é realista, feita por um apaixonado por seu país, que não pode furtar-se à sua vocação de dar as melhores recomendações de investimento a seus clientes. Trata-se de uma abordagem construtiva, que mostra como se preparar para a crise que, em meu entendimento, está se formando. Se, na opinião da coligação de Dilma, não há crise nesses placares 7×1, eu respeito. O padrão Empiricus é outro.

03:55 - É a Economia, estúpido!

Ao tentar dar contornos políticos a uma tese econômica, a coligação da situação tenta limitar o debate em torno da economia. Por uma razão simples: não querem debater a economia. Tentam tornar a coisa superficial e esconder o que realmente importa.

Se o debate fosse de um nível minimamente profundo, eu não precisaria explicar que a suposição sobre o fim do Brasil é metafórica, meramente ilustrativa. Pessoas, coisas, empresas e animais podem acabar. Países, não. Meu argumento é de que nasceu um novo País com a estabilização da economia em 1994, cuja idade adulta é atingida em 1999 com a adoção do tripé macroeconômico. Quando, em reação à crise de 2008, abandonamos o tripé e migramos para a chamada nova matriz econômica, simplesmente matamos o que havia sido construído.

Para não restar dúvidas, deixo aqui, totalmente gratuito, o primeiro relatório da série O fim do Brasil, escrito há algumas semanas. O parágrafo inicial é explícito ao relacionar a tese a uma metáfora.

Para atestar que a abordagem é construtiva e não destrutiva como os superficiais tentam argumentar, mostro na parte PRO algumas das recomendações feitas até agora pela série O fim do Brasil - evidencio como os assinantes já puderam ganhar dinheiro e como poderão aumentar ainda mais seu patrimônio, em qualquer cenário.

Ninguém vai nos calar. Estamos mais fortes.

Encerro a argumentação com uma homenagem ao monstro sagrado João Ubaldo Ribeiro. Por que os bons vão embora antes?

"Há muita gente, gente demais, que lê nas entrelinhas, um perfeito exercício de imbecilidade, defesa neurótica contra a realidade ou, em inúmeros casos, o achar-se tão sabido que se acaba sendo besta. Não existe essa coisa de entrelinhas. Pelo menos nos livros honestos, como este, não há nada nas entrelinhas, tudo deve ser procurado nas linhas, aqui não são oferecidas entrelinhas, à merda o entrelinhador, pode largar este livro e ir gastar seu tempo ruminando o bolo alimentar de sempre. Melhor do que ler textos diretos querendo ser esperto e vendo nele coisas indiretas."

Um trágico acidente de avião, no dia 13 de agosto de 2014, tiraria da disputa Eduardo Campos, do PSB. Em meio ao choque com a morte do ex-governador de Pernambuco, a entrada de Marina Silva como candidata da coligação tornou a corrida eleitoral ainda mais imprevisível. E, já na primeira pesquisa de intenção de voto, feita após a tragédia, os 8% de Eduardo Campos se transformaram em 21% para Marina.

Poucos minutos após o envio a jornalistas, o telefone começou a tocar. Queriam me ouvir sobre a censura do governo. Era uma história boa para contar.

Repare nos ingredientes: um ato de censura promovido por um partido identificado pela resistência ao regime militar no Brasil; um dos cinco maiores bancos do país; eleição presidencial; e uma consultoria que vai 'comprar a briga' e não mudará a conduta.

A própria presidente Dilma se manifestara sobre o caso do Santander. Classificou o pedido de desculpas como "bastante protocolar" e disse que o episódio foi "lamentável". Não parou por aí: "Vou ter uma atitude bastante clara em relação ao banco".

Posteriormente soube-se pelos jornais que quatro pessoas do banco foram demitidas. E, segundo apurou o jornal *Valor*

Econômico, o texto era a cópia de um conteúdo feito por um outro analista de uma corretora de valores. Uma sucessão de erros.

Na terça-feira, dia 29 de julho, o nome da Empiricus estampava os principais jornais do país. *Valor*, *Folha*, *Estadão*, *O Globo*, além de uma diversidade enorme de sites noticiosos e, dias depois, nas revistas *Veja* e *Época*, no fim de semana.

A imprensa internacional também repercutiu a ofensiva do governo contra a Empiricus. Uma repórter do *Wall Street Journal* falou com o meu sócio, Rodolfo Amstalden.

Segue abaixo reprodução da página da edição de *Veja* de 6 de agosto de 2014, destacando o assunto:

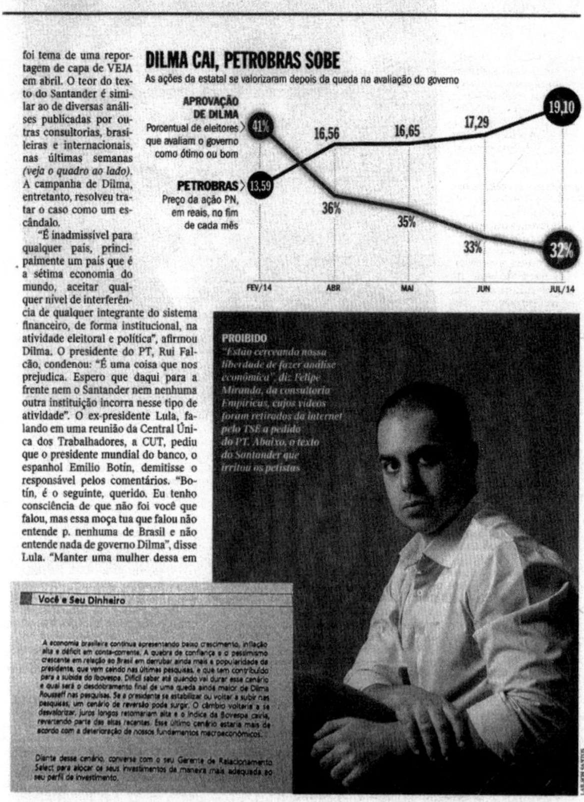

foi tema de uma reportagem de capa de VEJA em abril. O teor do texto do Santander é similar ao de diversas análises publicadas por outras consultorias, brasileiras e internacionais, nas últimas semanas *(veja o quadro ao lado)*. A campanha de Dilma, entretanto, resolveu tratar o caso como um escândalo.

"É inadmissível para qualquer país, principalmente um país que é a sétima economia do mundo, aceitar qualquer nível de interferência de qualquer integrante do sistema financeiro, de forma institucional, na atividade eleitoral e política", afirmou Dilma. O presidente do PT, Rui Falcão, condenou: "É uma coisa que nos prejudica. Espero que daqui para a frente nem o Santander nem nenhuma outra instituição incorra nesse tipo de atividade". O ex-presidente Lula, falando em uma reunião da Central Única dos Trabalhadores, a CUT, pediu que o presidente mundial do banco, o espanhol Emilio Botín, demitisse o responsável pelos comentários. "Botín, é o seguinte, querido. Eu tenho consciência de que não foi você que falou, mas essa moça tua que falou não entende p. nenhuma de Brasil e não entende nada de governo Dilma", disse Lula. "Manter uma mulher dessa em

DILMA CAI, PETROBRAS SOBE

As ações da estatal se valorizaram depois da queda na avaliação do governo

PROIBIDO *"Estão cerceando nossa liberdade de fazer análise econômica", diz Felipe Miranda, da consultoria Empiricus, cujos vídeos foram retirados da internet pelo TSE a pedido do PT. Abaixo, o texto do Santander que irritou os petistas*

Você e Seu Dinheiro

A economia brasileira continua apresentando baixo crescimento, inflação alta e déficit em conta-corrente. A quebra de confiança e o pessimismo crescente em relação ao Brasil em derrubar ainda mais a popularidade da presidente, que vem caindo nas últimas pesquisas, e que tem contribuído para a subida do Ibovespa. Difícil saber até quando vai durar esse cenário e qual será o desdobramento final de uma queda ainda maior de Dilma Rousseff nas pesquisas. Se a presidente se estabilizar ou voltar a subir nas pesquisas, um cenário de reversão pode surgir. O câmbio voltaria a se desvalorizar, juros longos retomariam alta e o índice da Bovespa cairia, revertendo parte das altas recentes. Esse último cenário estaria mais de acordo com a deterioração de nossos fundamentos macroeconômicos.

Diante desse cenário, converse com o seu Gerente de Relacionamento Select para alocar os seus investimentos da maneira mais adequada ao seu perfil de investimento.

veja | 6 DE AGOSTO, 2014 | 75

Ao longo de toda a semana iniciada em 4 de agosto de 2014, diretores de empresas e gestores de fundos de investimento solidarizaram-se com a Empiricus. Elogiavam nossa postura e diziam estar do nosso lado.

Um relatório falso chegou a circular no mercado zombando da situação ironicamente. Chamado de "Cenários para 2015", abordava o impacto da eleição no mercado sob uma ótica que tenderia a agradar censores gregos e romanos:

"... E as eleições também estão entre os principais drivers que podem direcionar o mercado no ano que vem. Estamos vendo o copo com água pela metade ao falar da bolsa brasileira. Há quem diga que está meio cheio, há quem o veja meio vazio, mas nós não concordamos, nem discordamos, muito pelo contrário." "Caso a presidente Dilma Rousseff seja eleita, o Ibovespa vai oscilar. Alguns investidores comprarão ações, outros venderão. As ações de estatais podem subir, mas também é esperada alguma retração, sobretudo no intraday. O lucro da Petrobras, nesse cenário, apresentará certamente alguma variação na comparação com o ano anterior."

"Disclaimers

O analista elaborou o relatório em um dos computadores do departamento de Recursos Humanos. Pode haver algum conflito de interesses, dado que ele não passou naquele concurso público para analista da Receita, então tem que manter o emprego atual."

O autor é desconhecido. Mas ele sabe que arrancou risos das mesas de operação.

Desde a censura, a tese *O fim do Brasil* atraiu cada vez mais pessoas. No metrô em São Paulo ouvia-se coisas do tipo "Você viu o que a Empiricus fez?"; "Quem é essa Empiricus?"; "É a única que fala o que pensa...". O efeito da mídia espontânea, alimentado pelas redes sociais, popularizou o estudo.

O assunto continuou quente e foi analisado pelo Ministério Público Eleitoral. Em parecer divulgado no dia 5 de agosto de 2014, informou que não houve demonstração de ligação entre a Empiricus e qualquer candidato, partido ou coligação.

"É inegável que os anúncios fazem expressa remissão às eleições presidenciais, mas o fazem com um evidente intuito não eleitoral. A disputa eleitoral é usada como isca para a atenção do consumidor. Trata-se de um expediente publicitário ordinariamente denominado de *teaser*, diz o documento.

A única ressalva se refere ao algoritmo do Google que controla a visibilidade dos anúncios conforme o interesse do internauta. Em situações envolvendo candidatos a uma eleição, o algoritmo deve ser retirado para garantir isonomia nas aparições.

Enquanto durar o clima "nós contra eles", haverá espaço para novas ofensivas contra o chamado "terrorismo financeiro". Um administrador de carteiras em Nova York me contou que na Venezuela também rola este tipo de abordagem. "E, acredite se quiser, no México. De forma sutil, umas chaves de braço aqui e ali para que os analistas escrevam bem sobre o país. Pobreza intelectual por todos os lados."

O legado de 2002

A última tensão entre o mercado financeiro e a disputa presidencial no Brasil remete ao embate entre Lula e José Serra, em 2002. Foi emblemático.

Em relatório publicado no dia 6 de junho de 2002, o analista do Goldman Sachs, Daniel Tenengauzer, instituiu o "Lulômetro", uma espécie de fórmula para calcular o preço do dólar em caso de maior probabilidade de vitória de Lula na eleição.

"Considerando que a taxa de câmbio poderia se estabilizar em R$ 2,52 na esteira de uma vitória de Serra, o modelo atualmente precifica uma chance de 47% de vitória de Lula. Se Lula ganhar, o modelo indica que o câmbio poderia se desvalorizar para R$ 3,04 logo após o segundo turno das eleições", dizia o relatório.

A conclusão de Tenengauzer era sombria: "Acreditamos que o mercado está muito otimista sobre a taxa de câmbio em uma eventual vitória de Lula e manteríamos as recomendações de posicionamento em proteção durante as eleições."

Na ocasião, a dúvida era saber como o PT se comportaria no poder. Seria, talvez, uma nova Argentina?, Indagava o mercado, que não gosta de incerteza e também se revolta.

Altos índices de popularidade garantem votos. A governabilidade, entretanto, depende da economia, sob risco de conflito social. Estimular o espírito animal do empresariado é crucial para a atividade econômica. O fim da iniciativa privada detonaria um colapso no país. Ninguém quer viver com esta marca.

Naquele mesmo junho de 2002, Luiz Inácio Lula da Silva lançou a "Carta ao Povo Brasileiro", se comprometendo com o tripé macroeconômico criado no governo do PSDB. Uma defesa clara ao câmbio flutuante, superávit primário e meta de inflação.

A iniciativa aliviou a rebeldia dos financistas que, dali a um ano, encontrariam um governo Lula de viés econômico bem ortodoxo, orientado pela dupla Henrique Meirelles e Antonio Palocci à frente das rédeas da economia.

Entre caminhos claros e obscuros, a economia pauta o futuro de uma eleição. É natural que qualquer um que assuma o Palácio do Planalto acabe migrando para o centro.

Crer ou não nas projeções dos analistas, é uma decisão pessoal, assim como o voto.

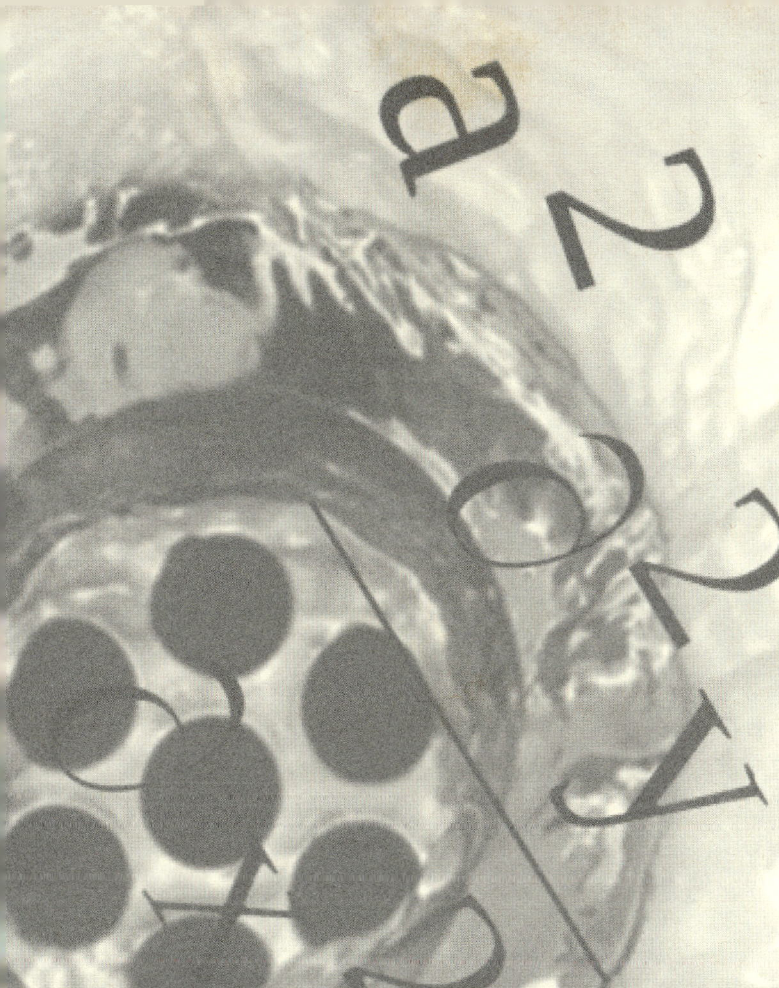

Capítulo 3

A razão é uma grande emoção, é um desejo de controle

A crise mundial de 2008 encontra um único precedente na história: a Grande Depressão de 1929. Curiosamente, a resposta da política econômica brasileira à turbulência externa de 2008 encontra sua raiz teórica, em alguma instância, ligada a 1929. Ao menos no discurso.

Em reação aos ventos externos desfavoráveis catalisados pela quebra do banco Lehman Brothers, o governo brasileiro recorreu a um suposto neokeynesianismo, em alusão ao economista John Maynard Keynes, para atacar o Consenso de Washington e estabelecer maior interferência do Estado na Economia.

No contexto das mazelas da Grande Depressão de 1929, Keynes propusera aumentar os gastos do governo como forma de alavancar a demanda agregada e promover o ajuste macroeconômico. Era a principal conclusão política daquilo que ficou conhecido como *New Deal* dentro do governo Franklin Roosevelt, nos EUA.

Em 1936, John Maynard Keynes publicara possivelmente o livro de economia mais importante do século XX: *A Teoria Geral do Juro, do Emprego e da Moeda*. O argumento de uma política fiscal expansionista em situações de crise foi resgatado para defender a implementação da nova matriz econômica brasileira, cuja essência fundamentava-se na prerrogativa de maior gasto público.

Em tese, o Estado teria de aumentar sua participação na economia para solucionar problemas que o mercado, sozinho, não poderia resolver. Busca-se vestir uma roupagem neokeynesiana para enfrentar as medidas neoliberais contidas no Consenso de Washington. Foi o resgate do keynesianismo sintetizado no livro clássico de 1936.

Infelizmente, a leitura dos escritos do economista inglês não foi bem feita. Sem abusar de tecnicismo ou tentar tornar o debate excessivamente teórico, há de se esmiuçar o equívoco científico associado à nova matriz econômica, pois ele acaba reverberando sobre elementos práticos. O caráter enfadonho das equações será bastante breve - coisa de dois minutos.

Colocado sem o devido esclarecimento e contexto, o argumento supostamente keynesiano parece fazer sentido. Trata-se, porém, de abordagem rasa e sem respaldo efetivo.

Em grande medida, quando Keynes propunha uma política fiscal expansionista, ele dialogava com a compreensão neoclássica do economista Knut Wicksell e seus processos cumulativos.

Entre os dois, há visões diametralmente opostas entre a gênese da poupança e do investimento, conforme ficará claro.

Comecemos da fundamentação econômica mais simples. A identidade macro básica estabelece a equivalência entre as duas variáveis: poupança é igual a investimento.

Em qualquer economia sob condição de equilíbrio, a produção agregada (Y) deve igualar-se à demanda, por sua vez, dividida, no caso mais simples, entre consumo (C) e investimento (I).

Enunciando a identidade macro básica como uma equação para demonstrar o ponto:

Y = C + I (equação 1)

Agora um pouco de álgebra elementar (rápido, prometo).

A poupança (S), por sua vez, é definida como sendo o que sobra da renda (Y) depois do consumo (C). Logo:

S = Y - C (equação 2)

Rearranjando a equação 2, temos que:

C = Y - S (equação 3)

Combinando as equações 1 e 3 e substituindo C por Y - S, chega-se a:

Y = Y - S + I (equação 4)

Portanto:

S = I (equação 5)

Conforme se pretendia demonstrar, a poupança equivale ao investimento. Não há como brigar com a contabilidade nacional. Obviamente, não há divergência entre Keynes e Wicksell a esse respeito.

Mas há, ao menos, duas discordâncias entre os dois.

A primeira: Wicksell propunha a definição do equilíbrio das taxas de juro no mercado de fundos emprestáveis, ou seja, pela interação entre a poupança (maior conforme as taxas de juro) e o investimento (cadente conforme o juro). O ponto de encontro entre as curvas daria o equilíbrio do nível de poupança/investimento e de taxa de juro.

Já Keynes relacionava o equilíbrio de taxa de juro diretamente ao mercado monetário, a partir do encontro da demanda por moeda (descendente com a taxa de juro) com a oferta de moeda (definida exogenamente pelo Banco Central).

Talvez essa discordância reflita apenas uma nuance técnica. O segundo ponto de embate ideológico é mais relevante para nosso debate. Poupança equivale ao investimento, pela identidade macro básica. Mas seria a poupança a causadora do investimento? Ou o contrário?

Pode parecer uma discussão sobre o sexo dos anjos, da espécie ovo e galinha, mas implica conclusões diferentes para política econômica. É a fundamentação teórica para apoiar a prática da gestão da economia.

Para Wicksell, a poupança causaria o investimento. Somente tendo poupado num primeiro momento, o sujeito (no âmbito micro) e o país (na esfera macro) poderiam ter alguma sobra para investir.

Para Keynes, seria o contrário. O investimento deveria sair na frente, pois seria o responsável por gerar renda. Sem renda, que dependeria do investimento, não poderia haver poupança. Portanto, o investimento originaria a poupança.

O corolário óbvio para política econômica proposta por Keynes é aumentar o gasto do governo em momentos de crise. Como o setor privado não estaria disposto a gastar, caberia ao governo fomentar a demanda agregada, promovendo o ajuste macro, ou seja, devolvendo a economia a seu ritmo tradicional de crescimento.

Segundo esse instrumental, o governo investiria no primeiro momento, o que traria maior renda à frente. Por sua vez, a maior renda garantiria a poupança no período subsequente. Estaria estabelecido um ciclo virtuoso.

É dessa prerrogativa que se utilizam os formuladores de política econômica em 2009 para lançar a nova matriz brasileira. Supostamente, precisaríamos aumentar a interferência do governo na economia para, através do impulso à demanda agregada, sair da crise originada em 2008.

O discurso pode parecer, numa análise mais superficial, embasado num arcabouço analítico sólido. A sugestão keynesiana teria ajudado na recuperação da maior crise já vista, a Grande Depressão de 1929. Logo, se a história serve de guia, o mesmo caminho poderia ser adotado no pós-Lehman Brothers.

Entretanto, há imbricações importantes a se considerar.

Quando Keynes defendia o aumento do gasto público, o fazia claramente em relação aos investimentos, cujos efeitos multiplicadores sobre a economia são proeminentes e garantem que um real investido se transforme em algo maior.

Ao investir e aumentar a capacidade produtiva, há necessidade de se contratar mais. Por conseguinte, a massa salarial sobe e o consumo vem na esteira. Percebendo mais consumo, pode-se retomar um novo ciclo de investimento. Adentramos um processo de retroalimentação em favor do crescimento econômico.

Trata-se do cerne da discussão com Wicksell, de que o investimento e seus efeitos multiplicadores são fundamentais para gerar renda.

Aqui está o problema teórico da nova matriz econômica.

O ponto nevrálgico é que, embora tenha aumentado dramaticamente a atuação do Estado na economia, a nova diretriz não foi capaz de revigorar o investimento. Foi apenas o consumo do governo que aumentou. O investimento público como percentual do PIB permaneceu em patamares mínimos, desclassificando a abordagem como verdadeiramente keynesiana.

A relação investimento público sobre PIB ronda a pífia taxa de 1,2%/1,3%, enquanto o consumo do Governo bate 22% do PIB em 2014, o nível mais alto de toda a série histórica. Considerando também o setor privado, a relação investimento sobre PIB saiu do pico de 19,5% ao final de 2010, para somente 17,7% no segundo trimestre de 2014, a menor relação desde 2009.

O Governo Dilma não somente contrariou a promessa de campanha de levar a taxa de investimento a 25% do PIB, como também trouxe redução do indicador. A meta oficial estabelecida no Programa Brasil Maior, obviamente descumprida, era elevar a taxa de investimento para 22,4% em 2014.

Há mais dados capazes de referendar o ponto de aumento dos gastos públicos centrados no custeio (e não no investimento): com a benevolência de classificar o programa Minha Casa, Minha Vida como investimento, a despesa não financeira do governo central cresceu R$ 109 bilhões, em 2013, enquanto o investimento público da União representou apenas R$ 3,8 bilhões desse incremento.

Tirando as estatais, o investimento público da União passou de R$ 59,4 bilhões em 2012, equivalente a 1,35% do PIB, para R$ 63,2 bilhões em 2013, respondendo por apenas 1,31% do PIB. Ou seja, mesmo com a disparada do G (gastos totais do governo), o percentual do investimento público sobre o PIB caiu.

Em reforço ao argumento, ainda que Keynes propusesse uma política fiscal expansionista para promover o ajuste macro, ninguém imagina um caráter perene de gastos públicos elevados. Calibra-se o tamanho do G conforme a necessidade. Ou seja, se era defensável a maior participação do Estado quando da crise de 2008/2009, através de gastos diretos e/ou das tais medidas macroprudenciais, o comportamento deveria ter sido alterado quando da superação da crise.

Observou-se, entretanto, a continuidade do gigantismo estatal e das medidas macroprudenciais também no pós-crise. O consumo do Governo como proporção do PIB vem inclusive aumentando, tendo chegado ao recorde de 22%.

Não há, portanto, como classificar a política econômica adotada a partir de 2009 como keynesiana, com base nos dados. A tentativa de associação entre as coisas é exemplo claro de casuísmo, raciocínio e atitude construídos sob uma desculpa moral, mas que refletem, na verdade, ações questionáveis.

A adoção da nova matriz econômica e seu aumento da interferência do Estado na Economia não decorrem de uma verdadeira abordagem neokeynesiana. Refletem, sim, uma crença na incapacidade do mercado de alocar adequadamente os recursos.

Resgata-se a ideia de que o Estado, seu planejamento central e o controle de determinados setores podem ser superiores à mão invisível de Adam Smith, mesmo em segmentos em que o mercado poderia, sozinho, encontrar soluções.

Não há embasamento em evidências empíricas ou mesmo teóricas para referendar a atitude de maior participação do Estado em âmbito geral e irrestrito.

Até mesmo a teoria neoclássica mais ortodoxa admite a intervenção do Estado para atender as falhas de mercado – situações, por exemplo, de assimetria de informação, estruturas mono ou oligopolistas e externalidades. A atuação, contudo, deve ser restrita, pragmática e pontual.

O caso mais clássico acontece com os setores regulamentados, em que as falhas de mercado são gritantes e exigem atuação de forças que lhe são alheias. Distribuição de energia e gás, por exemplo, representa ilustração canônica de monopólio natural, de tal sorte que a solução de mercado pode não trazer o ótimo social. Força-se, portanto, a interferência de um organismo externo.

Justamente por isso, criaram-se as agências reguladoras, para buscar uma alocação superior àquela de mercado, a partir de um arcabouço iminentemente técnico.

Todavia, até mesmo em setores regulados, aqueles em que a própria ortodoxia econômica reconhece a incapacidade do mercado em entregar soluções ótimas, a interferência tem sido inadequada.

O que aconteceu com as agências reguladoras na administração Dilma?

Desde o final do governo Lula, observam-se enfraquecimento técnico das autarquias e sua consequente politização.

São exemplos contundentes do problema: agências à margem dos leilões de concessão de aeroportos e rodovias federais, com a Casa Civil negociando diretamente com ministros, perda de profissionais qualificados pela Anatel e nomeação de secretário do ministério das Comunicações para diretoria da Anatel.

Vale aqui resgatar declaração de Eduardo Levy, à época presidente do Sinditelebrasil, citado por Ethevaldo Siqueira em seu *blog* no *Estadão* em artigo do dia 4 de junho de 2012: "Estamos realmente preocupados com o impacto dessa perda de tantos profissionais qualificados da agência reguladora. Não temos a menor dúvida de que a Anatel enfrentará sérios problemas operacionais com a perda desses profissionais. Qualquer instituição pública que estivesse na mesma situação teria grande dificuldade em continuar seu trabalho e em cumprir suas obrigações. É difícil acreditar que ninguém no governo perceba a gravidade do problema".

Caso também emblemático da truculência do setor público é a MP 579, que, perseguindo tarifas de energia menores, alterou regras do setor de forma súbita, sem diálogo adequado com Aneel e com empresários do setor (mais sobre isso à frente); há um capítulo inteiro dedicado ao desarranjo do setor elétrico.

Mas, como se não bastasse, o problema vai muito além das agências reguladoras.

A interferência do Estado tem claramente reduzido a eficiência da economia e, de maneira ainda mais preocupante, talvez tenha esgotado sua capacidade de endereçar questões fundamentais associadas à equidade, ou seja, relativas à distribuição de renda.

Esmiucemos o argumento.

A Economia contempla três grandes princípios. O primeiro é a chamada eficiência, normalmente entendida sob a ótica paretiana, em referência ao pensador Vilfredo Pareto. Uma alocação de recursos é considerada eficiente quando não se pode melhorar a condição de alguém sem piorar a de outrem. Grosso modo, a eficiência está normalmente associada ao tamanho do crescimento do bolo e a indicadores de produtividade.

O segundo é a equidade, ligada a formas de distribuição da riqueza ou da renda. Como um bolo, fatiado entre as diversas partes. A preocupação aqui é se determinada alocação acaba sendo justa ou não, sendo desejável uma partilha mais equânime. Pedaços mais iguais do bolo para cada um seria uma alocação a ser perseguida.

Por fim, há a questão da liberdade. Em princípio, uma sociedade mais livre, com respeito e exploração das potencialidades individuais, seria preferível ao caso contrário.

A dificuldade da ponderação entre os três elementos é de que existem *trade-offs* (dilemas) a serem escolhidos. Alcançá-los simultaneamente e com a mesma intensidade tem se mostrado um trilema impossível.

Se, por exemplo, deseja-se uma sociedade justa e livre, provavelmente, há de se abrir mão, em algum grau, de eficiência. De maneira análoga, a busca por eficiência e liberdade tende a resultar em perda de equidade. Esse é possivelmente o *trade-off* central da teoria econômica.

O formulador de política econômica, portanto, deve entender a preferência da sociedade por cada um dos três pontos e perseguir essa alocação desejada, reconhecendo sua incapacidade de alcance simultâneo e equânime da tríade.

E quem seria melhor para atingir a alocação desejada? O mercado ou o Estado?

Não há uma resposta fechada para tanto. Há limites para cada uma das opções. Adotar uma ou outra decorre de elementos ideológicos e/ou da opção feita por privilegiar determinadas combinações entre eficiência, equidade e liberdade.

A teoria tem avançado no sentido de demonstrar que o mercado é normalmente uma boa escolha quando buscamos de eficiência e liberdade.

O primeiro teorema do bem-estar - clássico da microeconomia - trata justamente da questão da eficiência. Em linhas gerais, diz: na ausência de informação assimétrica, bens públicos e externalidades, o mercado competitivo esgota todos os ganhos de troca, garantindo uma alocação ótima do ponto de vista paretiano.

O mercado garante também questões ligadas à liberdade, pois não há qualquer intervenção externa determinando a alocação definitiva. São as pessoas e as empresas, por elas mesmas, escolhendo sobre a alocação da riqueza e da renda. Não pode haver algo mais livre.

Portanto, por definição, posto que o mercado endereça adequadamente questões ligadas à eficiência e à liberdade, uma alocação imposta pelo Estado só poderia ser superior àquela de mercado se entregasse maior justiça (equidade).

Sabemos que o mercado permite maior eficiência e maior liberdade. Então, pergunta-se: a crescente intervenção do Estado traria, de fato, uma melhor distribuição da riqueza, a ponto, inclusive, de superar os ganhos de mercado atrelados à eficiência e à liberdade?

Em situações particulares, presença de falhas de mercado (monopólio/oligopólio, bens públicos, externalidades, informação assimétrica) ou perseguição da igualdade radical de oportunidade, a teoria ortodoxa tem respondido de forma positiva à pergunta.

Em geral, porém, não há uma conclusão fechada. Não existe garantia de que a alocação oferecida pelo Estado será mais justa na comparação àquela promovida pelo mercado.

Embora a maior intervenção pública tenda a buscar uma alocação mais equânime, há dois problemas a serem analisados. Primeiramente, a atuação estatal acaba criando uma espécie de grupo de privilegiados ligados ao próprio Estado. Como se o Leviatã fosse transformado em Pasárgada e criássemos os amigos do rei.

Ademais, ao perseguir uma melhor distribuição da riqueza (nota-se: de forma bem intencionada), pode haver impactos sobre a eficiência; pois, conforme já afirmado, o Estado é inferior ou, na melhor das hipóteses, igual ao mercado no que tange a alocações eficientes.

Assim, por mais que distribua o bolo de forma mais igual, seu tamanho pode ficar menor, de modo que cada pedaço pode ser, também, menor.

Saindo do aspecto estritamente teórico para o prático, fica a questão: a maior intervenção do Estado na economia brasileira tem se traduzido numa alocação mais desejável, sob as óticas de eficiência, equidade e liberdade?

Pela argumentação até aqui, está claro que não há ganhos de eficiência e, tampouco, de liberdade. Então, teriam os avanços da nova matriz econômica em distribuição sido tais que, mesmo sob menor eficiência e liberdade, justificassem sua permanência ou mesmo a intensificação das medidas?

Talvez a melhor forma de responder à pergunta seja com o gráfico que vem sendo defendido exaustivamente pelo economista Delfim Netto, que pondera renda (ligada à eficiência) e coeficiente de Gini (medida de distribuição).

Originalmente, a defesa do "índice de bem-estar" foi proposta por Amartia Sen (Nobel de Economia de 1998). Medindo eficiência e equidade conjuntamente, poderíamos ter uma dimensão do quão desejável é uma alocação de maneira plural, acima de questões ideológicas e preferências por uma coisa ou outra.

Delfim tem, sistematicamente, replicado o indicador ao caso brasileiro. Após um avanço dramático de 2003 a 2010, com maior política distributiva e forte contribuição da melhoria dos termos de troca, nota-se claramente a redução da altura dos degraus a partir de 2011.

O gráfico já apresentado no capítulo 1 é retomado aqui para ilustrar o ponto.

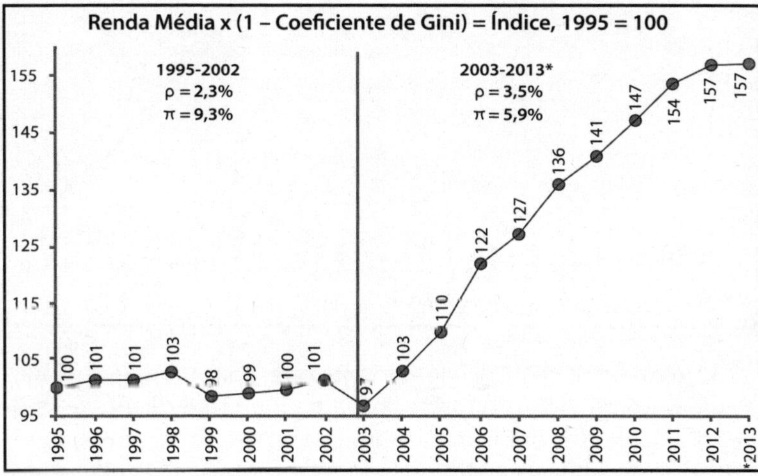

Fonte: IPEA, a partir dos microdados das Pnads 1995-2001. Exclui domicílio com renda ignorada. Exclui áreas rurais da região norte (exceto Tocantins). Dados para 2000 e 2012 obtidos por interpolação linear.
*Estimativa.

O esgotamento da tendência de alta do índice de bem-estar já se faz presente e alinha-se à interpretação de que a nova matriz econômica precisa ser abandonada, sob o risco de início de um processo de queda nessa trajetória.

Agora esqueçamos momentaneamente a ponderação entre eficiência e distribuição. Olhemos apenas para esta última, de maneira isolada. Sabemos que a nova matriz econômica não entrega evolução em prol de uma alocação mais eficiente. Teriam, então, as medidas trazido avanço substancial em termos de equidade?

Aqui, o Comunicado IPEA nº 159, com base nos dados da Pesquisa Nacional de Amostra por Domicílios (PNAD) de 2012 (mais recente), é emblemático. Pela primeira vez em dez anos, o coeficiente de Gini, a mais tradicional medida de avaliação de distribuição de renda, fica praticamente estagnado, saindo de 0,527 em 2011 para 0,526 em 2012.

A imagem a seguir traz a evolução do Gini, elucidando a argumentação:

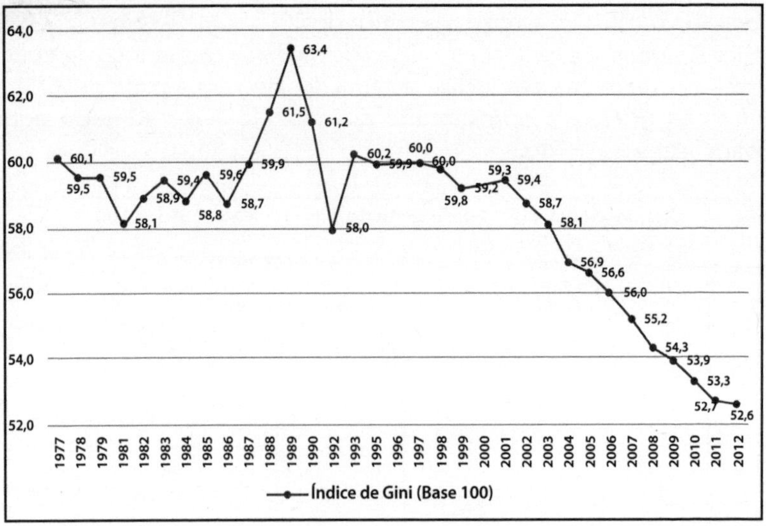

A partir do gráfico, fica evidente que, após uma década ininterrupta de ganhos pronunciados, a melhoria de distribuição de renda no Brasil é praticamente interrompida, ao menos quando considerado exclusivamente o índice de Gini.

Há outros dois indicadores tradicionais para mensurar questões de distribuição: índice de Theil-L, mais sensível do que o coeficiente de Gini a transferências entre pessoas relativamente pobres, e a curva de Lorenz, representação gráfica contendo no eixo horizontal a fração acumulada da população, ordenada segundo a renda domiciliar *per capita*, do mais pobre ao mais rico, e no eixo vertical a fração acumulada da renda dessa mesma população.

Em bom português, são formas diferentes de tentar capturar o quão desigual é uma economia, uma sociedade.

Enquanto o índice de Theil-L volta a cair entre 2011 e 2012, as curvas de Lorenz dos dois anos são praticamente sobrepostas, sem dominância entre elas.

Em resumo, de três indicadores de distribuição de renda, sendo Gini o mais tradicional, dois (coeficiente de Gini e curvas de Lorenz) mostram interrupção da melhora da distribuição de renda entre 2011 e 2012. Somente o Theil-L denota continuidade da tendência de queda.

Obviamente, variações de um ano para outro esbarram em uma série de dificuldades estatísticas. Devemos evitar conclusões precipitadas. Entretanto, a inflexão na trajetória, após uma década ininterrupta de ganhos, acende o sinal amarelo.

Olhando para frente e qualificando melhor a análise pontual de apenas um ano, não se esperam ganhos em termos de bem-estar, o que é possivelmente ainda mais grave frente ao mostrado na última Pnad.

Em artigo publicado no jornal *Valor Econômico*, em 29 de julho de 2014, Delfim Netto afirma: "a estimativa para este ano contempla um crescimento do PIB *per capita* nulo e a progressão da desigualdade no mesmo ritmo de 2011/12".

A nova matriz econômica, incapaz de entregar eficiência e liberdade, agora também enfrenta desafios para oferecer avanços em termos de equidade. Fica difícil, portanto, para além de questões meramente ideológicas, reiterar a defesa em prol da maior participação do Estado na economia brasileira.

Sem seu pilar mais contundente, a nova matriz precisa ser revista em sua plenitude. Se ela falha nas questões distributivas, nada lhe resta.

Capítulo 4

Das consequências

Em primeiro de julho de 2014, a presidente Dilma Rousseff comparou seu governo ao estilo do então técnico da seleção brasileira de futebol, Luiz Felipe Scolari. A frase foi dita após a presidente interromper reunião ministerial para falar à imprensa:

- Meu governo é padrão Felipão.

A piada estava pronta. Uma semana depois, dia 8 de julho, a seleção brasileira tomava a maior goleada de sua história, perdendo da Alemahha de 7x1 na semifinal da Copa do Mundo de 2014. Ironicamente, o padrão Felipão cabe para definir uma política econômica cujo placar é de Inflação 7 (6,5% para ser preciso) x Crescimento 1 (0,8% para ser preciso).

Neste capítulo, trataremos das consequências da nova matriz econômica: i) crescimento pífio; ii) inflação persistentemente alta; iii) desajuste nas contas externas; iv) desequilíbrio nas contas públicas; v) enfraquecimento da indústria e vi) perda de vigor do mercado de trabalho.

Crescimento

Durante os quatro anos de governo Dilma, o PIB deve crescer, na média, 1,7% ao ano, a depender dos dados finais de 2014.

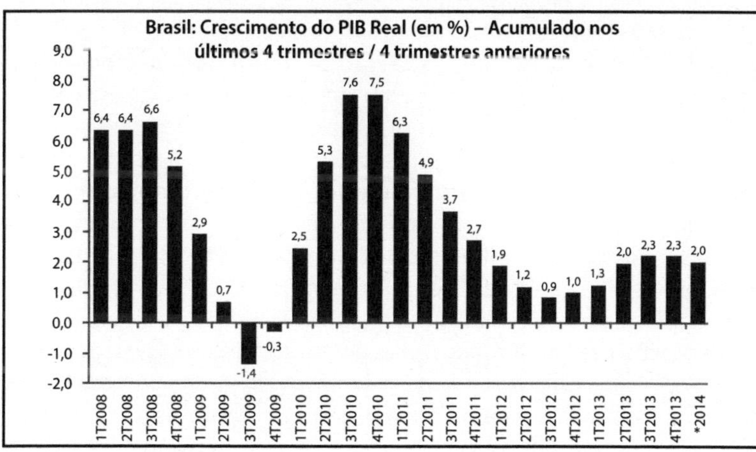

*Estimativa.

Mesmo que tomemos a otimista projeção de crescimento do governo para 2014, teríamos, no máximo, a média de 2,0%. O Governo trabalha com projeção de crescimento de 1,8% para 2014, as estimativas de mercado atualizadas em agosto de 2014 sugerem avanço da ordem de 0,8%% para o ano. Há consultorias já trabalhando em torno de 0,5% e até mesmo quem estime estagnação.

Independentemente do resultado final do ano, o consolidado nos quatro anos do governo será a menor taxa registrada desde o Governo Collor (média de -1,3%), uma das evidências incontestáveis de que estamos voltando a condições anteriores a 1994. Mais do que isso: além de Collor, a taxa de crescimento do Governo Dilma é a pior desde a República Nova. Os números compilados até 2013 falam por si.

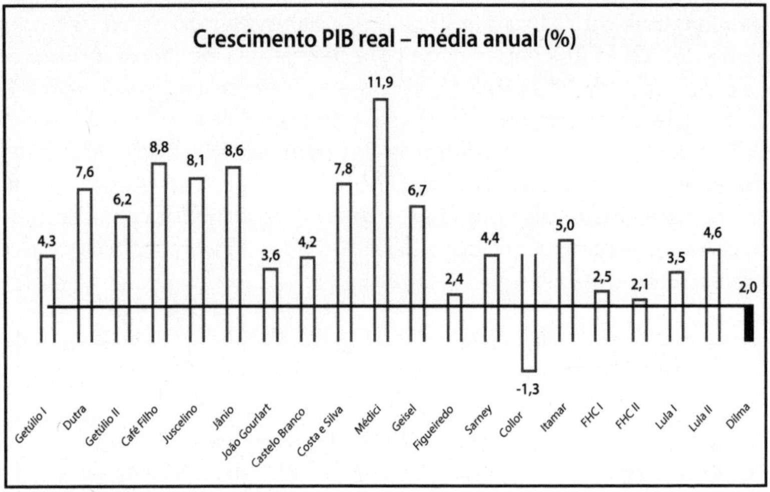

Estabelecendo uma relação dialética com o crescimento e, potencialmente, explicando sua fraqueza, temos o arrefecimento do investimento. Enquanto constatamos evolução destacada do consumo, não observamos a mesma expansão dos investimentos no Brasil. Talvez, justamente porque não haja entre os empresários a percepção de demanda robusta à frente, tampouco previsibilidade num arcabouço de alterações sistemáticas das regras do jogo. Desconfia-se do ambiente institucional brasileiro e da própria capacidade de manutenção do consumo elevado, posto que o baixo crescimento econômico, cedo ou tarde, trará repercussões sobre a massa salarial em termos reais. Isso, somado ao nível de endividamento das famílias, já atinge patamares complicados, e traz insegurança quanto ao patamar da demanda efetiva à frente.

Possivelmente de maneira ainda mais preocupante, a administração Dilma ignora benefícios do capitalismo associados a conceitos darwinistas e se apoia em grande instância no planejamento central. Desafia a importância de se estimular a tomada de riscos, o processo de tentativa e erro e a opcionalidade a ele associada. Matou-se o espírito animal dos empresários. Precisamos de alguma ruptura para reavermos ganhos de produtividade e não temos qualquer possibilidade disso por estarmos em um ambiente de grande incerteza regulatória, alta inflação e muito intervencionismo. Denominamos de falta de compreensão do componente dionisíaco da economia brasileira.

Aos 18 anos, Nietzsche escreveu o "Nascimento da Tragédia", obra em que resgata elementos gregos que destacam a oposição entre Apolo e Dionísio. Os componentes apolíneos representam o mensurável, o balanceado racional e o autodomínio. Em contrapartida, os dionisíacos oferecem uma força escura, visceral, aventureira, destemida, transgressora, sem capacidade de formalização. A cultura grega entendeu a necessidade de equilíbrio entre as duas esferas.

Nietzsche chamava Dionísio de criativamente destrutivo ou destrutivamente criativo. O filósofo alemão percebeu que o crescimento no conhecimento (ou em qualquer outro campo) só pode vir a partir de forças dionisíacas. É quase tautológico – a caminhada à frente exige a transgressão, o rompimento de um *status quo*.

E o que fizeram os formuladores da política econômica brasileira? Simplesmente suprimiram as forças dionisíacas ao criar uma rede de proteção social, inibir a tomada de riscos e criar gigantes nacionais ineficientes, posteriormente salvos pelo pagador de impostos. O mecanismo de excesso de intervencionismo, mudanças súbitas nas regras do jogo e exagero no assistencialismo retira a vantagem mais importante do sistema capitalista, que é a habilidade de remunerar de forma apropriada a tomada de riscos.

O exemplo categórico da falta de compreensão do governo a respeito da importância da tomada de riscos é a criação de gigantes nacionais. Ao privilegiar determinados setores e empresas de antemão, o governo vai contra o princípio capitalista de dar boas condições de mercado a todas as empresas para, a posteriori, a mais eficiente performar melhor. É a opção antidarwinista. Ao escolher as empresas privilegiadas de antemão, o governo incentiva a ineficiência, fomenta deseconomias de escala e ignora muitos riscos escondidos.

Inflação

Entre as mais emblemáticas implicações da nova matriz econômica, está a inflação persistentemente alta e no teto da meta.

Temos aqui um sintoma inequívoco do descolamento entre crescimento da oferta e da demanda agregada. Falaremos nesta seção sobre o abandono do centro da meta da inflação, sobre os erros cometidos para tentar manter a inflação controlada e investigaremos por que a demanda agregada tem crescido em ritmo substancialmente superior à oferta.

Vamos do começo: o Brasil adota, desde 1° de junho de 1999, o regime de metas de inflação. Conforme definição do próprio Banco Central, o regime de metas de inflação caracteriza-se por quatro elementos:

1. conhecimento público de metas numéricas de mé-io prazo para a inflação;
2. comprometimento institucional com a estabilidade de preços como objetivo primordial da política monetária;
3. estratégia de atuação pautada pela transparência para comunicar claramente o público sobre os planos, objetivos e razões que justificam as decisões de política monetária; e
4. mecanismos para tornar as autoridades monetárias responsáveis pelo cumprimento das metas para a inflação.

No Brasil, o CMN (Conselho Monetário Nacional) define a meta, e o Banco Central passa a persegui-la. O centro da meta está definido em 4,50% para a variação do IPCA ao ano, com uma banda de dois pontos percentuais, para cima ou para baixo. É nesse ponto que começa o problema. Vejamos, antes, como tem se comportado a inflação brasileira desde 2001:

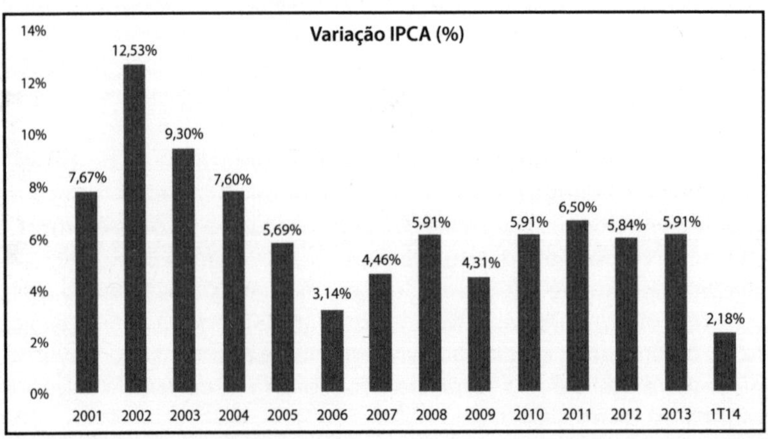

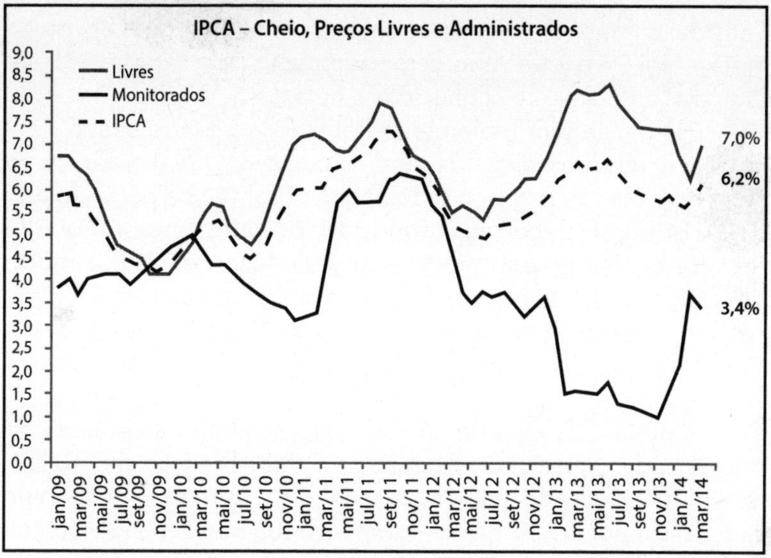

Note que temos abandonado o centro da meta de 4,50% ao ano e flertado com a parte superior do intervalo, 6,50% ao ano, de maneira sistemática. Aqui já há um erro crucial.

A banda existe, basicamente, para incorporar a possibilidade de choques exógenos, sobretudo de oferta. Por exemplo: uma interrupção na demanda por suprimento de forma súbita eleva a inflação. Sem que houvesse o intervalo, o Banco Central teria de responder tempestivamente ao choque exógeno, que poderia muito mais facilmente ser absorvido e dissipado de maneira natural a partir da flexibilidade concedida pela banda, sem impor um custo demasiadamente elevado à sociedade.

O que temos feito é simplesmente trabalhar com o teto como a verdadeira meta. Assim, acabamos muito sensíveis a eventuais novos choques exógenos (sim, eles existem e são frequentes) capazes de nos empurrar para fora do intervalo. Em adição, trabalhamos com uma inflação que fere princípios distributivos (o pobre é o mais afetado pela alta de preços) e reduz o crescimento econômico de longo prazo.

Uma parte dos formuladores de política econômica parece acreditar que podemos conviver com um pouco mais de inflação em prol de mais emprego - tese antiga e devidamente refutada pela teoria econômica. Não há *trade off* entre inflação e emprego no longo prazo.

Tudo isso ainda com represamento de preços, cujos exemplos mais clássicos são os setores de petróleo e energia.

Sem desonerações, a inflação, seguramente, já estaria acima da meta, entre 8% e 9% ao ano. O represamento de preços tem consequências amplamente conhecidas e nefastas.

Há um segundo elemento heterodoxo sendo usado para manter a inflação dentro da meta: o câmbio. O real apreciou-se contra o dólar de maneira sistemática durante boa parte do ano de 2014 e isso decorreu, sobretudo, de duas forças: i) queda recente do rendimento do Treasury de 10 anos, grosso modo de 3% para 2,50%, estimulando busca por ativos não denominados em dólar; e ii) pesada atuação do Banco Central, em especial por meio de oferta e rolagem de vultuosos contratos de *swap* cambial.

Com a utilização do câmbio para combater a escalada de preços, vide a restrição à subida da Selic em ano eleitoral, ferimos o estado da arte em política monetária. Conforme muito bem sintetizado por David Blanchflower, o trabalho do Banco Central deve seguir o princípio do *one tool, one target*. Ou seja, um instrumento e um objetivo. E o instrumento consagrado é o juro de curto prazo (Selic) e não o câmbio.

O problema da inflação remete a outros equívocos da nova matriz econômica: o investimento, cuja morosidade explica em grande parte o descasamento atual entre crescimento da demanda agregada e da oferta agregada, e o desajuste nas contas públicas, com implicações imediatas sobre o nível geral de preços.

Explica-se: o investimento é variável-chave para conferir alinhamento entre oferta e demanda agregada. Ele entra, no período inicial, como demanda agregada e, no momento subsequente, passa a ser oferta. Com o fracasso de elevar a taxa de investimento, a oferta agregada fica estagnada.

Por sua vez, dois elementos puxam para cima a demanda agregada, reforçando o desalinhamento: a primeira força estimulante da demanda é o consumo do governo, que ultrapassou 22% do PIB, o nível mais alto da série histórica iniciada em 1995, fazendo-nos um dos poucos países em que essa variável supera o investimento. Além da inflação, há também uma segunda resposta a esse problema, que é o déficit em conta corrente, sobre o qual falaremos a seguir. A segunda força estimulante da demanda agregada decorre da concessão de aumentos de salários substancialmente superiores aos ganhos de produtividade, conforme demonstrado pelo gráfico abaixo:

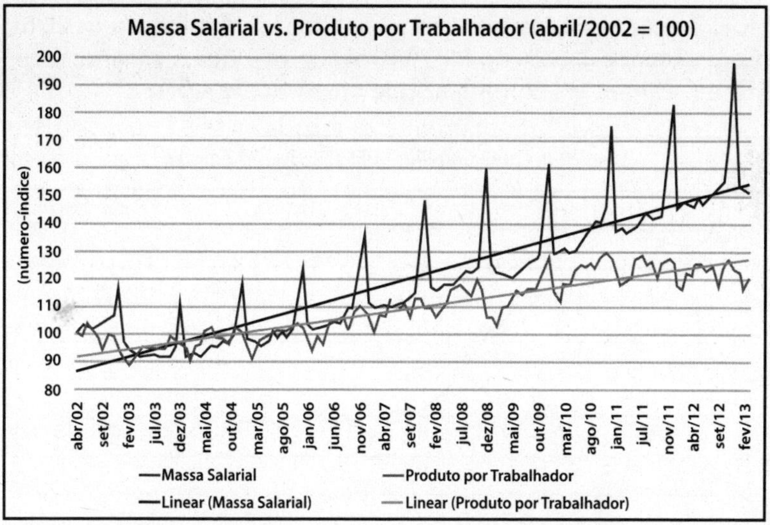

O corolário óbvio da dinâmica é a chamada espiral preços--salários, com relevante contribuição para o componente inercial da inflação. Em âmbito micro, a consequência de um aumento de salário superior à produtividade do trabalhador implica deterioração da margem de lucro do empresário. Para recompor sua margem, o empresário remarca preços para cima. Em reação, para preservar seu poder de compra, o trabalhador volta a exigir novos aumentos de salários. E a dinâmica segue indefinidamente.

O problema de salários crescendo acima da produtividade já é reconhecido pelos próprios técnicos do governo, incluindo aqui os maiores especialistas nas questões sociais. Em entrevista à revista *Exame*, Ricardo Paes de Barros, da secretaria de Assuntos Estratégicos da Presidência, deixa claro que será impossível continuar com os enormes aumentos do salário mínimo sem crescimento da produtividade. Disse o economista: "Nosso maior risco é que a renda dos menos educados comece a crescer lentamente. Se não tivermos um crescimento grande da produtividade, essa será uma possibilidade real."

Contas externas

Outra consequência importante da nova matriz econômica é a deterioração flagrante e acentuada no resultado das contas externas brasileiras. O déficit em transações correntes, que mede o saldo das contas do país com o exterior, sem considerar as movimentações de capital, atingiu US$ 81,374 bilhões em 2013, representando 3,66% do PIB. A expectativa é que, este ano, o déficit em transações correntes fique em torno de 4,0%.

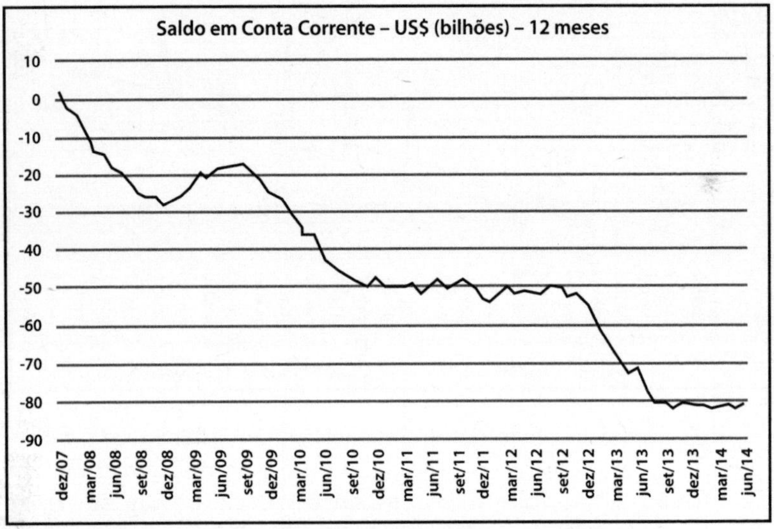

Neste contexto, para que não haja saída líquida de dólares do Brasil e perda de reservas internacionais, precisamos da entrada de moeda estrangeira por meio da conta de capital. E aqui o problema se acentua.

O ano de 2013 foi o primeiro, desde 2001, em que o Investimento Estrangeiro Direto (IED) foi inferior ao déficit em conta corrente (64,045 bilhões de dólares). Assim, para fechar o balanço com o resto do mundo, o Brasil depende do investimento em portfólio e de capitais de curto prazo, muito voláteis e sensíveis às mudanças da economia mundial.

Por enquanto, com o Brasil oferecendo um juro estratosférico frente às demais economias, e os Bancos Centrais mundiais mantendo juro zero, parece não haver grande problema.

Mas a situação pode mudar de forma drástica, uma vez que o Banco Central norte-americano deve começar a subir sua taxa de juro em 2015, voltando a atrair recursos para os títulos dos EUA hoje presentes nos mercados emergentes. A apartir daí, faltarão dólares no Brasil. Provavelmente teremos uma disparada da taxa de câmbio, com impactos diretos sobre a inflação, sobre os importadores e sobre as empresas com dívida em dólar.

A contração monetária norte-americana é algo consensual para 2015. Em resposta à crise, o Banco Central dos EUA injetou uma quantidade cavalar de dólares no mercado. Com o balanço muito inchado, será necessário retornar, gradativamente, para algo mais próximo do padrão histórico. Conforme mostra o gráfico abaixo, os ativos totais do Fed saíram de US$ 869 bilhões, em agosto de 2007, para US$ 4,3 trilhões, em junho de 2014 (ver gráfico abaixo).

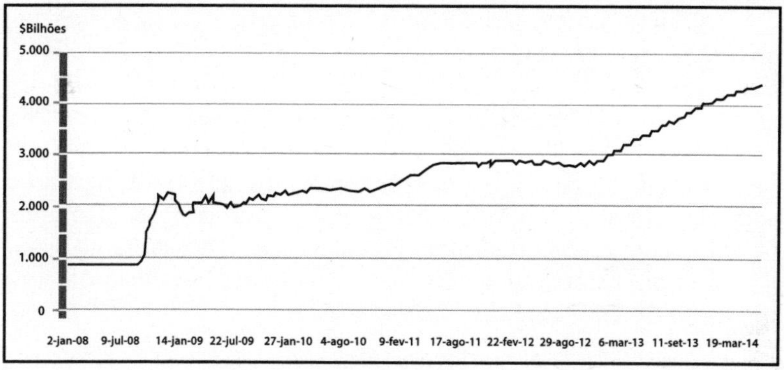

Ou seja, para voltar à normalidade histórica, o Banco Central norte-americano precisa retirar cerca de US$ 3,5 trilhões do sistema. As condições de liquidez vão mudar dramaticamente, a partir de 2015, e o Brasil deve sofrer mais.

Aqui, pode-se lembrar do argumento clássico de Guillermo Calvo, descrito no artigo "Capital Flows and Capital-Market Crises: os mercados emergentes sofrem de interrupção súbita e abruta (*sudden stop*) de fluxos de capitais". Para piorar, o Brasil é apontado canonicamente dentro do grupo dos chamados *Fragile Five*, o grupo de países emergentes considerados mais sensíveis a alterações das condições de liquidez internacional, junto a África do Sul, Índia, Indonésia e Turquia. O recado é claro: há que se apertar os cintos.

Contas públicas desajustadas

O quarto desdobramento, que representa uma característica da nova matriz econômica, é o fiscal. As implicações são evidentes na dificuldade de aumentar os indicadores de produtividade e na persistência da inflação elevada, pontos já abordados nas seções acima. Conforme muito bem classificado por Thomas Sargent, prêmio Nobel de Economia de 2011: a inflação é estritamente um fenômeno fiscal.

De forma direta, os dados mostram que as contas públicas estão completamente desajustadas. Em se mantendo o quadro, o governo encontrará grandes dificuldades para se financiar num futuro não muito distante. Isso implica possível elevação das taxas de juro para se comprar ativos brasileiros, impactando fortemente o orçamento das famílias e a capacidade de crédito. Alguns dados referendam a tese.

O superávit primário (economia para pagar dívida e juros) foi, na média, de 3,1% do PIB no intervalo de 2001 a 2008, sem considerar aqui receita de dividendos e concessões. Atendo-se apenas ao período de 2009 a 2013, esse percentual caiu para 1,5% do PIB.

Para 2014, a meta de superávit primário foi definida em 1,9% do PIB ou R$ 99 bilhões. Entendemos que ou a meta não será cumprida ou teremos mais contabilidade criativa. Devemos terminar com menos de 1% do PIB, algo que é, obviamente, insuficiente para estabilizar dívida bruta ou líquida (isso exigiria algo em torno de 2,5% do PIB).

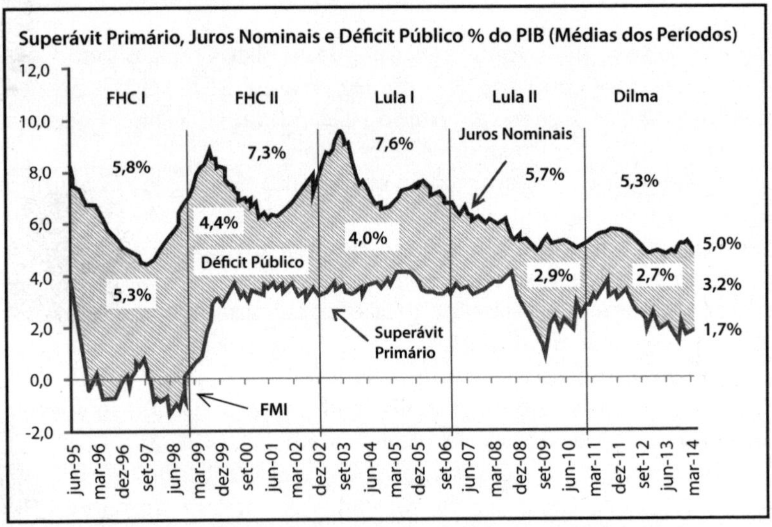

No primeiro semestre, o superávit primário foi de R$ 29,38 bilhões, com queda de 43% frente ao esforço fiscal do primeiro semestre do ano anterior (R$ 52,15 bilhões), e menor valor da série histórica, iniciada em 2002. Cumprimos apenas 30% da meta para o ano nos primeiros seis meses.

Com os dados do primeiro semestre, o governo já admite que a meta está mais distante e será necessário maior "esforço de execução orçamentária". O esforço deve vir em grande parte com contabilidade criativa e receitas extraordinárias. Citamos como exemplos: a operação (sem licitação) envolvendo campos do pré-sal e a Petrobras, a esperada reabertura do Refis, licenças de telefonia 4 e dividendos mais gordos vindos das estatais.

Com esse quadro, entendemos que o déficit nominal (resultado das contas públicas consideradas todas as rubricas) pode bater 4,5% do PIB.

Se somarmos a isso o déficit em conta corrente (balanço das relações com o exterior, sem contabilizar a conta de capital) estimado em 4%, temos déficits gêmeos que podem chegar a 8,5%, agravando o problema da falta de poupança doméstica. E como a contrapartida contábil da poupança é o investimento, temos novo argumento para fundamentar o esgotamento do modelo e das mazelas deixadas pela nova matriz econômica.

Mais adiante, esperamos incremento adicional da relação dívida (bruta e líquida) sobre PIB, incapacidade de recuperar o investimento público, aumento de impostos e, de forma mais problemática, mais inflação. Estamos sacrificando a sociedade futura, que precisará de maior taxa de poupança para estabilizar as contas, por causa dos gastos desgovernados da atualidade, além de provavelmente conviver com inflação maior.

No horizonte de curto prazo, pelo menos, não há qualquer perspectiva de mudança na política fiscal, o que, certamente, deixará profundas sequelas.

Política industrial

Em 2011, o governo implementou o Plano Brasil Maior, detalhando as políticas industrial, tecnológica e de comércio exterior. Entre os desafios propostos pelo próprio governo estavam: 1) sustentar o crescimento inclusivo num contexto econômico adverso; 2) sair da crise internacional em melhor posição do que entrou, o que resultaria numa mudança estrutural da inserção do país na economia mundial. Para tanto, o Plano tinha como foco a inovação e o adensamento produtivo do parque industrial brasileiro, objetivando ganhos sustentados da produtividade do trabalho."

O Plano tinha ainda, como meta explícita, a elevação da taxa de investimento de 18,4% para 22,4% do PIB até 2014.

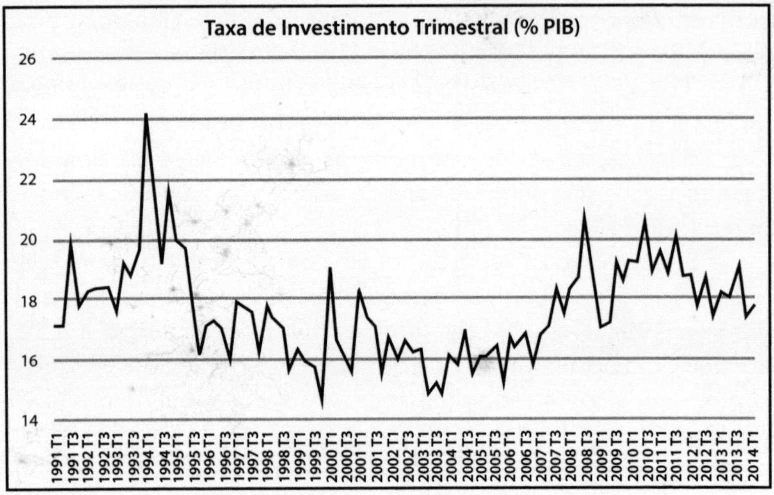

Taxa de Investimento Trimestral (% PIB)

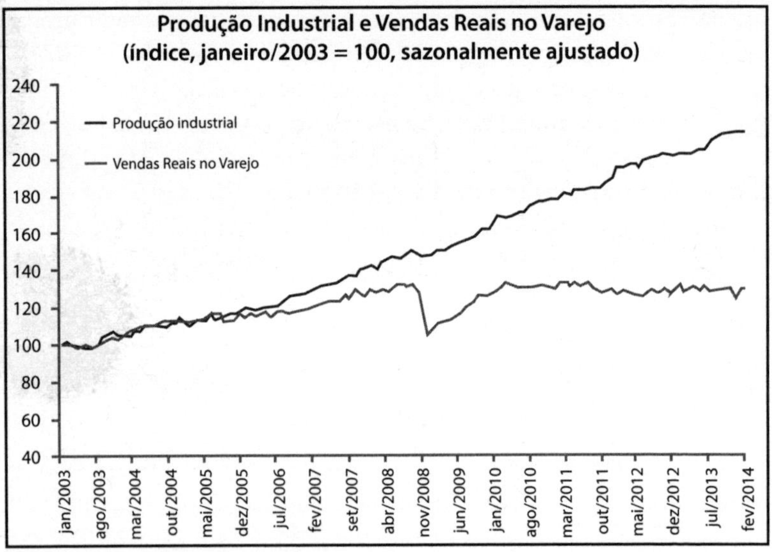

Produção Industrial e Vendas Reais no Varejo (índice, janeiro/2003 = 100, sazonalmente ajustado)

Até agora, falhamos de forma retumbante. Com relação ao ponto 1, os dados previamente expostos sobre crescimento exaurem o tema. Sobre sair da crise internacional em melhor posição, veja que a taxa de investimento do PIB vem caindo e já está próxima dos patamares de 2009. Não somente não entregamos a evolução prometida, como também demos um passo para trás. O último número é de 17,7% do PIB, o que leva a implicações importantes sobre a evolução da oferta agregada. Esta redução retira cerca de 0,5 ponto percentual da capacidade de crescimento ao ano.

A taxa é pífia também se ampliarmos a base de comparação para outros países. Tomando nossos vizinhos da América do Sul, o Brasil só investe mais que o Paraguai, conforme a tabela abaixo, que contém dados do FMI para o indicador entre os países da América Latina e Caribe.

Estamos comprometendo fortemente a capacidade de expansão da oferta agregada. Enquanto isso, a demanda segue substancialmente estimulada, reforçado o descolamento que já esmiuçamos, com graves consequências, como a inflação.

Investimento/PIB (%)						
País	2008	2009	2010	2011	2012	2013
Bahamas	26,7	25,6	25,4	28,1	33,1	36,5*
Antígua e Barbuda	29,8	29,5	29,4	29,2	30,4	30,4
Nicarágua	33,7	28,5	28,9	30,8	30,3	30,3*
Panamá	27,6	25,6	25,5	27,2	28,6	30,0*
Granada	31,1	23,9	22,0	20,5	17,3	29,3
Peru	26,9	20,7	25,2	25,3	26,7	27,6*
Equador	26,4	25,6	28,0	29,0	28,3	27,4*
Honduras	36,1	20,6	21,9	26,0	25,9	24,4*
Colômbia	23,5	22,4	22,1	23,7	23,6	24,2*
Argentina	25,1	21,2	24,4	26,1	23,9	24,2*
Chile	25,9	20,3	22,4	23,7	25,0	24,0*
México	24,4	22,9	22,0	22,3	23,2	22,2
Bolívia	17,6	17,0	17,0	19,6	17,7	21,5*
Costa Rica	27,6	16,3	20,7	21,9	21,7	21,3*
Jamaica	24,4	21,0	20,2	22,1	19,9	20,1*
Guiana	19,0	16,5	16,7	19,7	19,1	18,7*
Brasil	20,7	17,8	20,2	19,7	17,6	18,3
Dominica	21,4	19,6	21,4	21,5	20,8	17,2
Paraguai	16,4	13,8	16,2	16,2	15,4	15,9*
República Dominicana	18,3	14,8	16,5	16,4	16,4	15,8
Belize	25,6	17,1	12,8	13,7	14,2	15,4*
Guatemala	16,4	13,1	13,9	15,1	14,4	14,5*
El Salvador	15,2	13,4	13,3	14,4	14,2	14,1*
Barbados	18,6	15,2	13,8	15,0	14,5	13,8*

Fonte: FMI.
*Estimativas FMI.

A falta de confiança vem sendo reforçada pelos dados da Fundação Getúlio Vargas. Os dados de julho de 2014, do Índice de Confiança da Indústria da FGV, mostram a sétima queda consecutiva, chegando ao menor nível desde abril de 2009 - novamente um revés ao ponto 2 do Plano Brasil Maior. Quebrando o indicador, nota-se que a referência que mede o grau de satisfação com o nível de demanda exerceu a maior influência na queda, com 27,5% das empresas avaliando a procura como fraca.

A baixa confiança dos empresários é uma sinalização de que a prdução industrial deve continuar em queda, depois de já ter registrado três indicadores negativos em 2014 (a baixa confiança costuma antecipar novos resultados negativos). Somam-se a isso indicadores de demissão da indústria no ano. O emprego na indústria, medido pelo IBGE, acumula perda de 1,6% de abril a junho de 2014 e as pesquisas também indicam nível de estoques acima da média histórica.

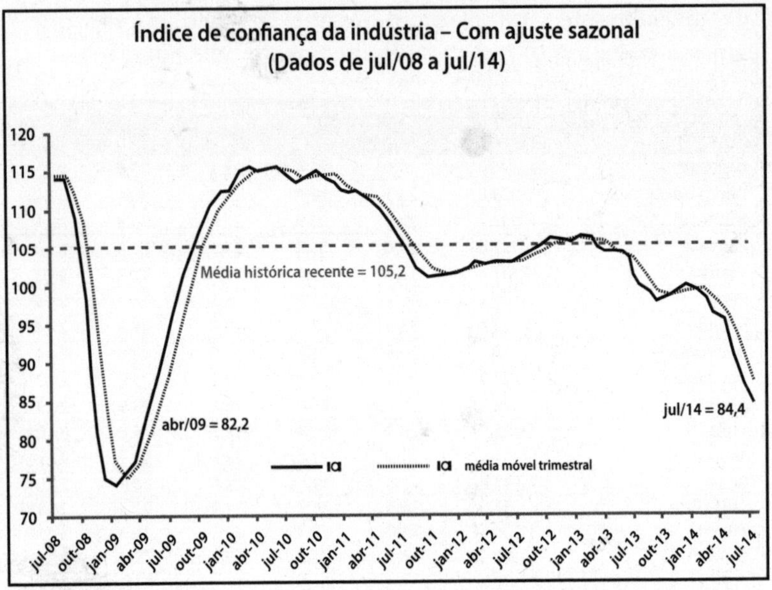

O cenário é ruim e não dá sinais de melhora. Sem investimentos, perdemos o fator multiplicador da economia e o terceiro ciclo de crescimento, após o esgotamento dos ciclos impulsionados por *commodities* e consumo.

Mercado de trabalho

O mercado de trabalho é o único pilar que resta para o atual governo. Ao menos na aparência, seria o que ainda respalda à nova matriz econômica. A partir do momento em que esse ponto começar a ruir, a ela nada mais restará.

Vamos por partes. A taxa de desemprego segue em níveis historicamente baixos, conforme o gráfico. Fala-se a todo momento em taxa que configura pleno emprego, interpretação que, pelos dados apresentados, parece verdadeira se analisada apenas superficialmente.

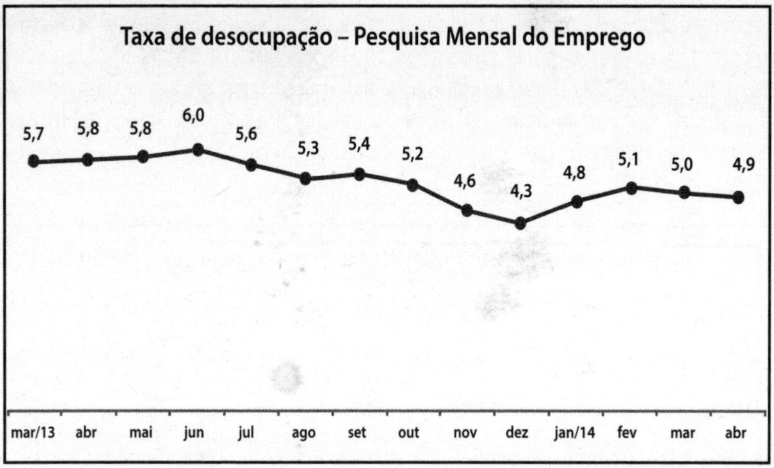

Fonte: IBGE, Diretoria de Pesquisas, Coordenação de Trabalho e Rendimento, Pesquisa Mensal de Emprego.

Há, no entanto, algumas ressalvas. Para começar, vejamos as nuances na medição da taxa de desemprego.

Só conta como desempregado o sujeito que está procurando um emprego e não o encontra. Para o caso brasileiro, o desemprego não aumentou em meados de 2014 simplesmente porque há um índice grande de pessoas parando de procurar emprego. O racional é trivial. A taxa de desemprego é apurada pela relação entre o número de pessoas desocupadas (procurando trabalho) e o número de pessoas economicamente ativas num determinado período de referência (definição do site oficial do IBGE).

Ocorre que o conceito de "pessoas economicamente ativas" contempla apenas parcela da população empregada somada aos que estão procurando emprego. Esta parcela (os chamados "desocupados") representa 3,1% da população em idade ativa, de acordo com a última Pesquisa de Emprego. Os "ocupados" respondem por 47,4%, e a população não economicamente ativa por 49,5%.

Fazendo uso do argumento de Alexandre Schwartsman para o fechamento do primeiro trimestre: a população em idade ativa cresce entre 1% e 1,5% ao ano (1,3% no trimestre em questão), enquanto a geração líquida de empregos foi próxima a zero.

Portanto, para observarmos redução da taxa de desemprego no período em análise, por uma questão algébrica, há necessariamente de termos uma parcela da população simplesmente desistindo do mercado de trabalho. Assim, não se pode atribuir o pleno emprego à competência da gestão pública.

Em segundo lugar, os últimos dados do Caged mostram a menor criação de vagas de trabalho em junho desde 1998, com apenas 25 mil novos postos. Em maio a criação havia sido de 58 mil postos, o pior mês desde 1992. No início do segundo semestre de 2014, notam-se também empresas dando férias forçadas aos funcionários, reduzindo a jornada de trabalho, numa repetição de medidas tomadas no auge da crise de 2008 e 2009.

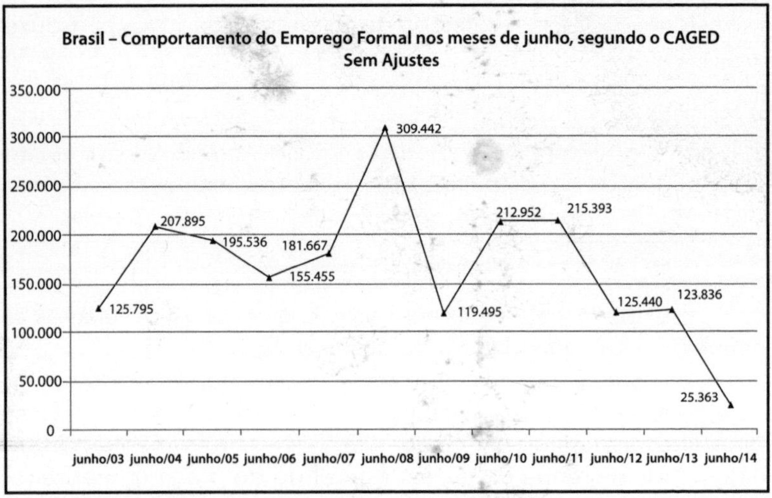

O Professor Charles Goodhart afirmou brilhantemente: "Quando um governo tenta usar um indicador particular, esse indicador deixa de ser confiável". Goodhart publicou a formulação em 1975 apoiada na noção de que o privilégio a esse indicador particular compromete os demais. A partir do momento em que a taxa de desemprego diminui, ela passa a ser perseguida como meta de governo. Ainda que se consiga alcançar este objetivo, os demais indicadores ficam comprometidos de tal forma que o primeiro indicador perde a confiabilidade.

A isso somam-se evidências de que persiste o problema da baixa qualificação. Levantamento do jornal *Folha de S. Paulo*, com base em dados do Ministério do Trabalho, mostra que dos 9,4 milhões de empregos formais criados entre 2007 e 2013, metade foi de profissões de baixa qualificação (o cargo de servente de obras, por exemplo, foi o primeiro, com 921 mil novos empregos). Isso explica, em parte, como a eficiência continua sendo um problema e evidencia os limites no otimismo com a taxa de desemprego.

Estamos gerando poucos empregos e, quando isso acontece, com baixa qualidade e com poucos ganhos de produtividade, o que cobrará sua conta mais à frente.

E agora?

Não existe inflação um pouco alta. Citando um ditado clássico: inflação é como gravidez, necessariamente cresce. Não vislumbramos o indicador parado nos 6,5% registrados - isso sem falar na parcela represada por contole de preços de energia e combustíveis, por exemplo.

Márcio Garcia, professor de Economia da PUC-RJ, trouxe tese semelhante em resposta ao jornal *Valor Econômico* de 27 de junho: "A inflação não vai ficar parada nos 6,5%, há uma inflação represada de 1,5 ponto percentual; os preços monitorados vão ter que subir; o câmbio não pode ficar muito tempo nesse nível de R$ 2,20 porque o déficit em conta corrente continua crescendo e é elevado. Tudo isso vai colocar pressão na inflação. Se você não tiver um BC que leve a inflação de volta à meta, passamos por um outro regime. Um regime turco, argentino ou até venezuelano".

Depois de represar preços por dois anos, o Governo precisará soltar as amarras em 2015. Somente esse movimento, supondo uma liberação única, deve colocar a inflação brasileira em 10% ao ano.

Num exercício platônico, combinando o repasse integral das tarifas públicas represadas e a desvalorização esperada do câmbio, entendo que a inflação brasileira pode chegar a 12% ao ano, para uma meta de 4,5%.

Ou acabamos com a nova matriz econômica ou ela acaba com as conquistas observadas desde 1994. A despeito dos problemas já pronunciados, ainda dá tempo de reverter o quadro.

Capítulo 5

A crise vem de fora?

Em sabatina realizada no dia 29 de julho de 2014, a presidente Dilma Rousseff negou que a economia brasileira estivesse enfrentando uma crise. Segundo ela, a política vigente, na verdade, ajudou a minimizar os efeitos de uma crise externa sobre o Brasil.

Para creditar os problemas brasileiros ao fator exógeno, a governante, em alguma instância, abriu mão de um argumento clássico de seu partido. Cinco anos antes, o então presidente Lula afirmara que o Brasil estava totalmente preparado para enfrentar a ameaça originada pelas hipotecas americanas de alto risco: "Lá (nos EUA), a crise é um *tsunami*; aqui, se ela chegar, vai chegar uma marolinha que não dá nem para esquiar".

Pelo subterfúgio, Dilma, então, teve de reconhecer a falha de diagnóstico: *"Todos nós erramos, pois não tínhamos ideia do grau de descontrole. O mundo errou porque saiu completamente do controle a crise do sistema financeiro internacional".*

O discurso foi levado adiante, tornando-se o centro da defesa do governo contra as críticas à problemática de baixo crescimento combinadas à inflação elevada e a outros desequilíbrios.

"Estamos sobrevivendo à crise com grande capacidade de resposta. Essa é uma diferença em relação às três crises internacionais enfrentadas no fim do século passado", afirmara, poucos dias depois, o ministro do Desenvolvimento, Indústria e Comércio Exterior, Mauro Borges, consolidando a adoção da diretriz.

Com suas próprias contradições, o Governo termina admitindo, implicitamente, os erros no diagnóstico. Porém, não reconhece que esses erros podem comprometer o tratamento do paciente.

Uma ilha isolada

Há embasamento econômico no argumento do governo? Ou, ao contrário, a crise brasileira esteve escorada em problemas internos?

Em busca de uma *proxy* para as perspectivas econômicas e o desempenho das empresas brasileiras em relação ao restante do mundo, miramos, inicialmente, o desempenho do mercado de capitais doméstico em relação ao das principais economias do mundo.

A conclusão é amplamente desfavorável ao argumento da situação.

Enquanto os principais índices acionários do mundo acumularam ganhos substanciais desde o estouro da crise do *subprime*, sugerindo uma perspectiva de recuperação para suas atividades, a Bolsa brasileira representada no gráfico pelo Ibovespa não registra qualquer evolução no período de cinco anos.

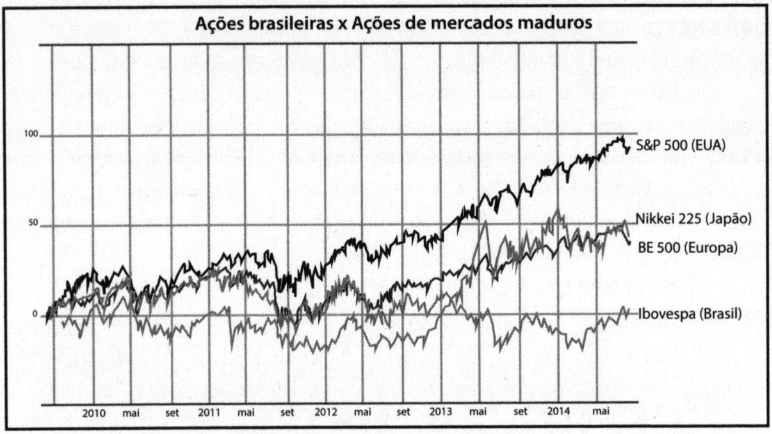

Fonte: Empiricus, Bloomberg.

A observação também é válida se considerados os comportamentos do mercado acionário brasileiro e de uma cesta de mercados emergentes ressaltando que as próprias ações brasileiras

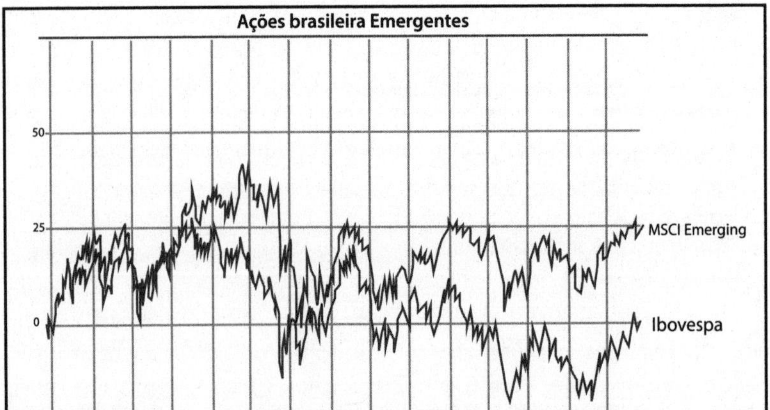

Fonte: Bloomberg, Empiricus.

fazem parte da composição da cesta em questão, representada no gráfico pelo Morgan Stanley Capital International Emerging Markets Index (MSCI Emerging).

Não fosse tal correlação, a discrepância do Ibovespa para as ações emergentes seria ainda maior.

Mesmo sob uma ótica desfavorável, o retrato para o Ibovespa poderia ser ainda pior. Não fossem as apostas de troca de governo a partir da metade de março de 2014, com o surgimento das primeiras pesquisas eleitorais indicando queda nas intenções de voto da situação, a destruição do valor das ações brasileiras seria iminente. O Ibovespa passou de uma pontuação de 45,5 mil pontos no dia 10 de março a 61 mil pontos em agosto.

O chamado "rali eleitoral" amplamente amparado na valorização de ações de empresas estatais como Petrobras, Eletrobras e Banco do Brasil escancarou o desconforto com a gestão vigente e o desejo dos investidores por mudança.

Retomando algo que, de certa forma, já foi exposto no capítulo 2, manchetes como a destacada abaixo foram uma constante durante a corrida eleitoral, atestando a inegável relação entre os desdobramentos de cenário político e o mercado de capitais.

Petrobras dispara e Bolsa sobe 2,5% após pesquisa eleitoral

MÁRCIO RODRIGUES E OLÍVIA BULLA - AGÊNCIA ESTADO

18 Julho 2014 | 11h 41

Papel ON da estatal avançou 5,45% e o PN, 4,91%; já o dólar cai com levantamento que mostra empate de Dilma e Aécio em eventual 2º turno

Fonte: Agência Estado.

Antes da catálise do rali eleitoral, o Ibovespa acumulou saldo negativo de 15,5% em 2013, pior desempenho do mundo dentre as Bolsas de mercados relevantes, e caminhava para o aprofundamento das perdas em 2014, somando cerca de 10% de queda nos três primeiros meses do ano até o surgimento das primeiras pesquisas apontando diminuição das chances da situação.

Enquanto as bolsas internacionais renovavam recordes históricos de maneira sucessiva, nosso principal índice de ações, mesmo amparado no "rali eleitoral", ainda estava cerca de 25% aquém da máxima histórica.

Indo além, a piora dos fundamentos da economia brasileira e a discrepância para o comportamento dos mercados internacionais encontravam diversas outras evidências nos ativos financeiros, tais como:

1. a disparada dos *Credit Default Swaps* (CDS), tido como o seguro contra calote brasileiro;
2. a escalada dos juros reais, que passaram do patamar de 3% ao ano, no início de 2013, para próximo de 7%, no início de 2014, em claro indicativo da exigência de maior prêmio de risco-Brasil;
3. a significativa perda de valor do real em relação às moedas globais, com destaque para a queda de 14% da moeda brasileira contra o dólar no saldo de 2013.

A comparação do prêmio de risco exigido pelos investidores para comprar um título do Brasil em relação aos títulos de demais países merece menção à parte. Em agosto de 2013, ainda antes do rebaixamento do *rating* brasileiro, o custo do CDS brasileiro de cinco anos superava 185 pontos-base, superando o CDS de países como Peru (135 pontos) e Bulgária (118 pontos), que possuíam a mesma classificação de risco junto às agências de *rating*.

Mesmo que descêssemos alguns degraus na escala do *rating*, ainda encontraríamos CDS de países com *ratings* inferiores ao brasileiro negociando a patamares mais baixos, como os de Colômbia (na casa de 130 pontos) e Filipinas (120 pontos).

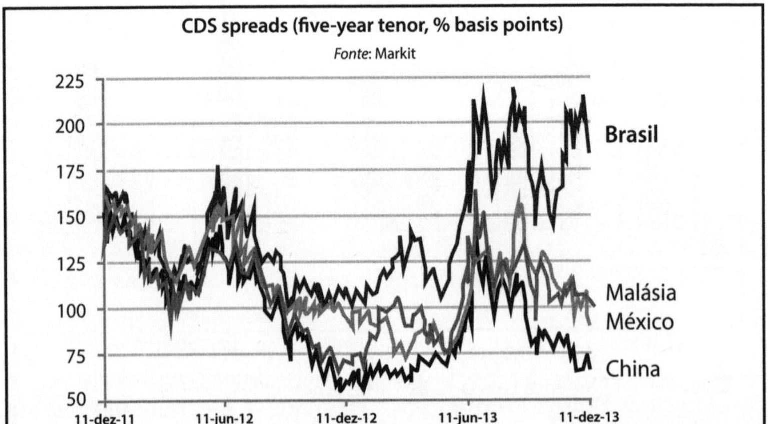

Fonte: Euromoney.

O gráfico em destaque mostra uma tendência inversa entre os CDS da Malásia, do México e da China (com queda a partir da metade de 2013) e do Brasil (em alta desde então).

A distorção no CDS traz um claro indicativo de que os mercados já embutiam a piora dos fundamentos da economia brasileira nos preços, antecipando o rebaixamento do *rating* brasileiro confirmado pela agência Standard & Poor's somente em março de 2014, seis meses depois.

Apesar dos sinais gritantes, não haveria, no entanto, a possibilidade do mercado estar exagerando na dose, extrapolando a realidade econômica?

Não há embasamento empírico nos dados da economia

A insuficiência do discurso do governo encontra respaldo contundente no comportamento dos ativos financeiros brasileiros. Mas não é só. O chamado "lado real" da economia também traz referências pronunciadas para refutar a tese.

Seja na comparação com as principais economias maduras ou com o grupo dos emergentes, e utilizando as variáveis macroeconômicas mais amplas, chegamos a uma conclusão inequívoca: se há algum prejuízo nas relações comerciais ou no fluxo de capitais entre as economias por causa da fraqueza de outrem, o Brasil não está propriamente em posição de se queixar.

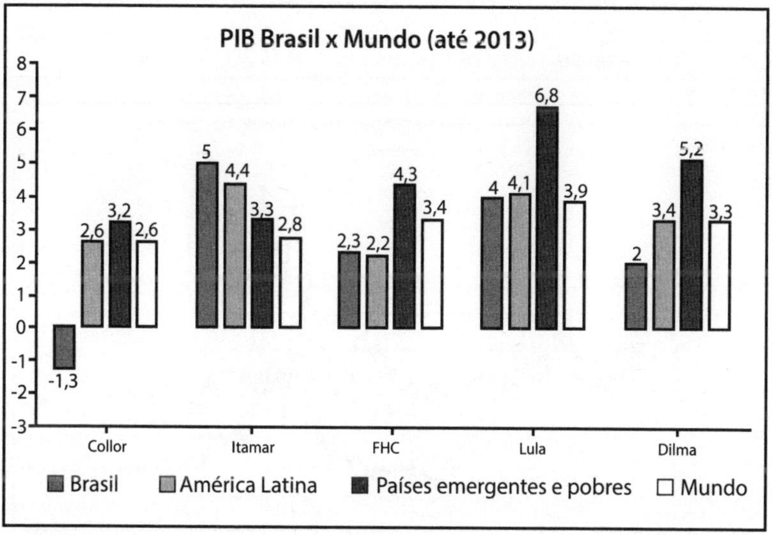

Fonte: IBGE.

Ainda que o gráfico não capture a sensível desaceleração da atividade em 2014, restringindo a amostra até 2013, fica evidente o atraso brasileiro em relação à América Latina, aos países emergentes e pobres e à média global. Analisando os ciclos de governo, o intervalo de Dilma registra o nível mais baixo de crescimento do PIB brasileiro desde a era Collor.

Se atribuímos o problema da economia brasileira à fraqueza internacional, também há contramão. Em discurso proferido em agosto de 2014, a presidente da Argentina, Cristina Kirchner, atribuiu o baixo crescimento da sua economia ao vizinho: *"O Brasil tem crescimento previsto de 1,3% em 2014 e é o nosso principal sócio comercial"*.

Tomando por base projeções do FMI para o ano de 2014, como forma de buscar um tratamento equânime da origem das estimativas, o Brasil encabeça a lista dos países que apresentam as piores relações entre crescimento e inflação dentre as principais economias comparáveis.

	2014E	
Local	**PIB**	**Inflação**
Brasil	1,3%	5,9%
China	7,4%	3,0%
EUA	1,7%	1,4%
Índia	5,4%	8,0%
Rússia	0,2%	5,8%
Zona do Euro	1,1%	0,9%
Emergentes	4,6%	5,5%

Fonte: FMI.

Note que a economia brasileira se destaca negativamente nas duas pontas, registrando a segunda maior inflação e o terceiro menor crescimento da lista.

Algumas ponderações se fazem necessárias aqui.

A primeira diz respeito à rápida degradação dos indicadores econômicos brasileiros. A mediana das projeções do relatório Focus do Banco Central, que abriu 2014 apontando crescimento de 2,00% para a economia brasileira, terminou o primeiro semestre de 2014 com menos da metade disso, atingindo a casa de 0,8% de crescimento projetado pelo mercado em agosto do mesmo ano.

A segunda ponderação diz respeito à relação entre a inflação e o PIB da Rússia, a mais alusiva ao retrato brasileiro dentre as mencionadas. O intervalo em questão abrange período de conflito interno e uma série de sanções econômicas de EUA e União Europeia sobre a economia russa. A título ilustrativo, as exportações de EUA e Europa representam 13% do PIB da Rússia.

A deterioração da relação do Brasil com o restante do mundo pode ser atestada no saldo comercial em queda e no elevado déficit brasileiro em transações correntes.

Em 2013 a balança comercial brasileira registrou o seu pior resultado para um ano desde 2000, com superávit de US$ 2,56 bilhões. No período de janeiro a julho de 2014, foi contabilizado um déficit de US$ 916 milhões na balança comercial.

A perda de espaço do Brasil nas relações comerciais internacionais tem relação íntima com a perda de competitividade do produto doméstico, mas não pode ser atribuída à morosidade de demanda internacional: enquanto a participação brasileira nas exportações mundiais ficou praticamente estável, no período de 1995 a 2012, nota-se expressivo incremento da participação de outros mercados emergentes, como China e Coreia.

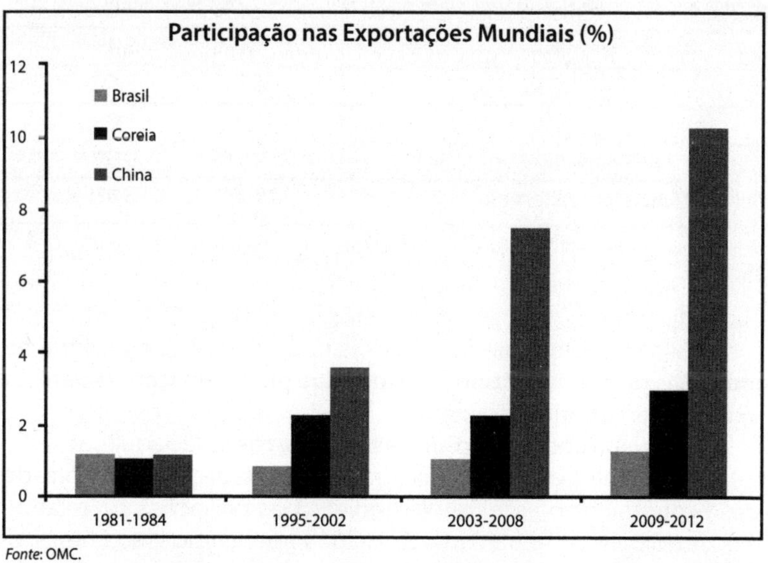

Fonte: OMC.

Agravante: não conseguimos aumentar nossas exportações em um período extremamente favorável para tal, em que o país foi beneficiado por sensível elevação dos preços de seus principais produtos de exportação, com destaque para o auge do superciclo de *commodities* entre 2005 e 2007.

Por sua vez, fatores como a incerteza regulatória e o desestímulo aos investimentos estão por trás da espantosa deterioração do índice de competitividade internacional (da World Economic Survey) desde 2009.

Fonte: IFO World Economic Survey, PUC-Rio e WB, Colombia (0,356), México (0,307), Paquistão (0,059), Polônia (0,240) e África do Sul (0,037).

Dentre os fatores por trás da perda de competitividade brasileira, voltamos ao debate do tripé macroeconômico, mais especificamente no que diz respeito a uma taxa de câmbio competitiva que permitisse ao Brasil recuperar espaço no comércio mundial e ter um modelo *export-led growth*, em que as vendas externas puxam o crescimento.

E mesmo o argumento de blindagem do mercado de trabalho se depara com firmes contraposições. À sombra da propaganda do pleno emprego e da sustentação de taxas de desemprego em níveis historicamente baixos, enfrentamos uma estagnação do fator de produtividade do trabalho. O contraste com a ascensão observada em outras economias comparáveis é gritante:

Hora de acordar

Produtividade do trabalho, PIB por empregado
$' 000 sobre paridade do poder de compra, a preços de 2013

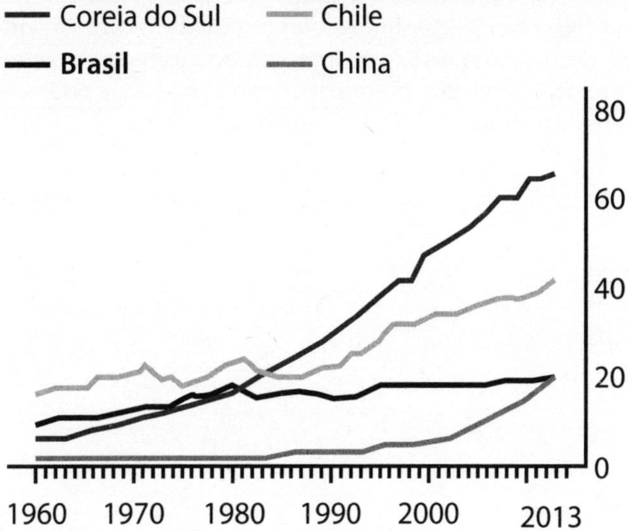

Fonte: Conference Board.

Ao longo do tempo, o crescimento da economia brasileira foi escorado no aumento da ocupação ou do número de trabalhadores ativos. Com a estabilização dos níveis de desemprego, na impossibilidade de incrementos adicionais significativos no *quantum* de trabalhadores, a saída óbvia para a retomada do crescimento está na melhora da produtividade dos fatores.

A despeito dos vieses dos indicadores de desemprego, pode ter menos gente procurando emprego, assim como a tendência de queda é influenciada pelo rápido processo de envelhecimento da população. Se estamos próximos de uma condição de pleno emprego, com desindustrialização e crescimento baixo da economia, como faremos para crescer?

O déficit em transações correntes bate em 4% do PIB e a inflação, sem desonerações, roda acima de 8% ao ano. A resposta a este ambiente é bastante conhecida: desvalorização do real e necessidade de elevação da taxa Selic.

Não se trata de esperar a resolução de problemas exógenos, mas sim de estabilizar a economia e, mais uma vez, fomentar as bases para retomada do crescimento.

Em que pese algum efeito do ambiente internacional, a tese de que estamos patinando por causa de uma crise externa não se sustenta.

As variáveis destacadas ajudam a ilustrar o maior progresso obtido na maioria das variáveis macro por países comparáveis ao Brasil. Não houve ganho de competitividade das exportações oriundo de melhora dos fundamentos econômicos brasileiros. E, enquanto tivermos um diagnóstico errado, não poderemos ao menos pensar num prognóstico correto.

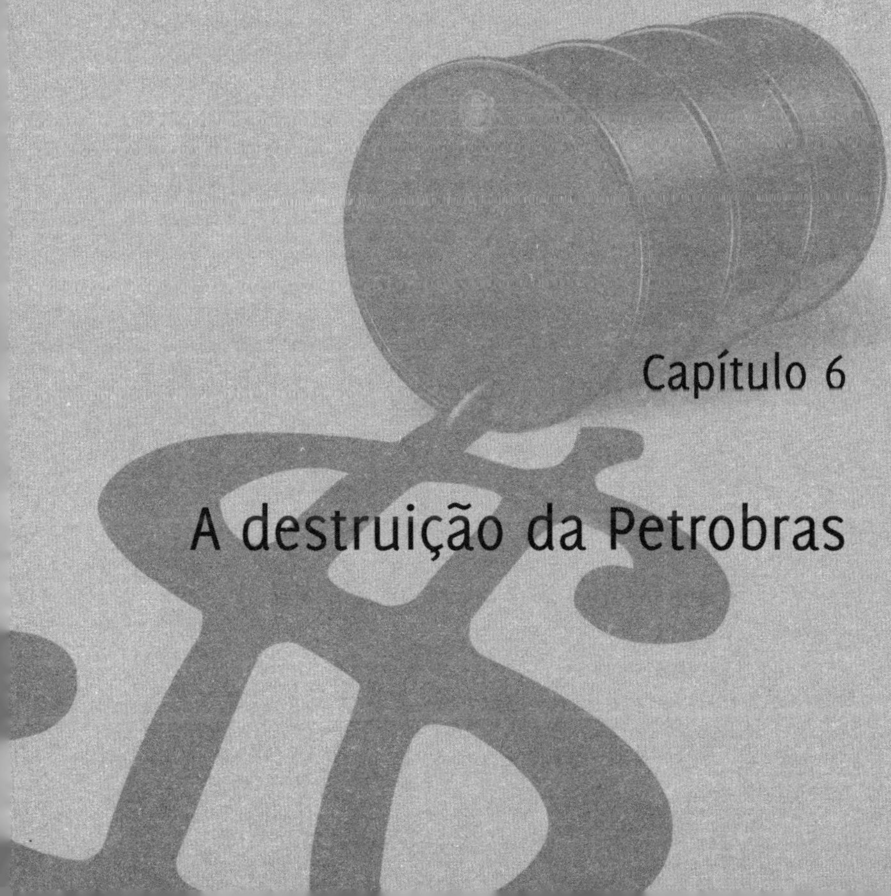

Capítulo 6

A destruição da Petrobras

A Petrobras abriu o ciclo do governo Lula como uma de suas principais bandeiras políticas: era a metonímia da autossuficiência brasileira em petróleo, da descoberta do pré-sal, das promessas de dobrar a sua produção, de alçar o Brasil à condição de país membro da Opep.

A campanha de atrelamento à Petrobras exultou expoentes do Partido dos Trabalhadores, usando e abusando do simbolismo de batizar a principal descoberta do pré-sal de "Campo Lula" e de benefícios de imagem que a ocupação da cadeira de presidente do Conselho de Administração, por Dilma Roussef, poderia trazer.

Após 12 anos de subsequentes escândalos, falhas de diagnóstico e erros de gestão, o que era bandeira de governo se tornou argumento da oposição na corrida eleitoral de 2014.

A autossuficiência tão propagandeada foi substituída por déficits crescentes na balança comercial de petróleo e derivados. As metas operacionais e financeiras se provaram superestimadas. A produção não registrou crescimento no ritmo esperado; a adição e operação dos novos campos do pré-sal apenas compensaram a produção decrescente e o esgotamento de poços antigos.

Além da frustração das bandeiras de campanha, o uso da estatal, prioritariamente para fins políticos, atropelou decisões estritamente racionais sob o ponto de vista da viabilidade econômica e sustentabilidade financeira da empresa, colocando sua avaliação de crédito em risco a partir de substancial aumento de indicadores de endividamento.

O verdadeiro objeto social

A estrutura do modelo de governança da Petrobras, uma das diretrizes para a gestão da companhia, traz de início a seguinte legenda:

"A companhia segue procedimentos de gestão compatíveis com as normas dos mercados em que atua, de modo a garantir a adoção de padrões internacionais de transparência. Dessa forma, reforça sua credibilidade no mercado e aprimora o relacionamento com seu público de interesse: acionistas, investidores, clientes, fornecedores, empregados e sociedade, entre outros."

Há ao menos três falhas graves e facilmente observadas nas gestões de José Sérgio Gabrielli (2005 a 2012) e de sua sucessora na companhia, Graça Foster.

Em primeiro lugar, a Petrobras não seguiu procedimentos de gestão compatíveis com o mercado, sequer condizentes com uma economia de mercado. A assunção de prejuízos consentidos na importação de combustíveis é exemplo caricato da violação.

Devido ao déficit na capacidade interna de refino, a Petrobras se viu obrigada a importar gasolina e derivados do mercado internacional para abastecer o mercado doméstico. Impossibilitada pelo governo (maioria em seu Conselho de Administração) de reajustar preços para não impactar os índices de inflação, passou a comprar gasolina e derivados lá fora a preços mais elevados do que vendia no mercado interno, tornando a sua área de abastecimento uma fonte inesgotável de prejuízos.

Desmembrando o resultado da empresa por segmento de negócios, podemos atestar o quão nociva é a prática: em três anos e meio de governo Dilma (de 2011 até a metade de 2014), a Petrobras acumulou um prejuízo líquido de R$ 59,3 bilhões em sua atividade de abastecimento.

Temos com isso um dreno de caixa significativo trabalhando contra a empresa. Em que pesem os esforços operacionais nas demais áreas, a Petrobras começa o expediente tendo de correr atrás do prejuízo no abastecimento. Na maioria das vezes, não conseguiu virar o placar. Uma análise do fluxo de caixa livre da estatal é enfática neste sentido, e preocupante.

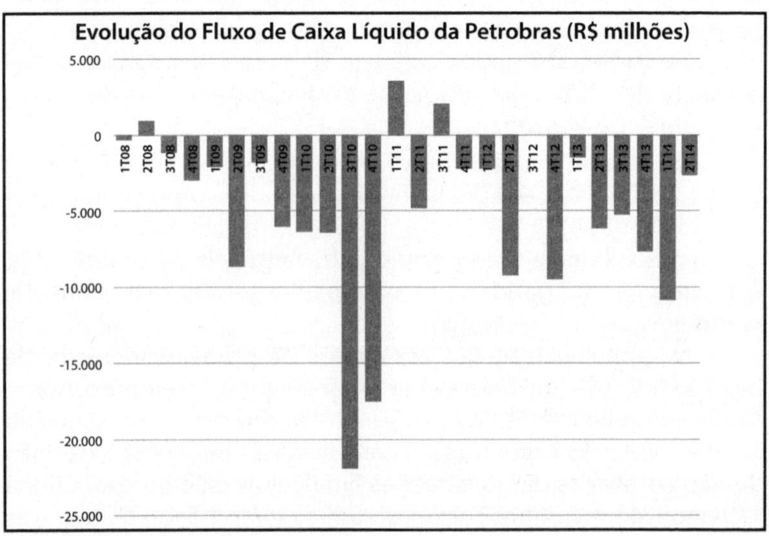

De 26 trimestres, do início de 2008 até metade de 2014, a Petrobras registrou fluxo de caixa livre negativo em 22 trimestres, contra apenas quatro efetivamente no azul. Ou seja, a estatal queimou caixa em cerca de 85% do período nos últimos seis anos e meio desde a crise norte-americana.

"A lucratividade da empresa foi esmagada pelo governo brasileiro, que forçou a Petrobras a vender gasolina importada a um preço abaixo do custo para combater a inflação", resumiu The Wall Street Journal, em matéria de agosto de 2014.

Falamos agora do segundo elemento, do tal padrão internacional de transparência.

Durante o governo Dilma, foram diversos os episódios de descasamento de discurso entre o corpo executivo da empresa, liderado por Graça Foster, e o Conselho de Administração da petroleira, presidido por Guido Mantega.

Em tese, quem mais deveria defender os interesses dos acionistas da empresa, o seu Conselho de Administração, foi justamente quem impôs à companhia uma política de prejuízos consentidos, ao barrar as seguidas solicitações pela prática de preços de mercado.

Durante esse período, Guido Mantega conciliou a principal cadeira estratégica da Petrobras com cargo de Ministro da Fazenda do governo Dilma, respondendo diretamente pelas políticas econômicas de governo, incluindo metas fiscais e controle da inflação, o que ajudou a escancarar o desvio de governança. Pela inevitável contribuição do represamento de preços dos combustíveis aos índices inflacionários e o poder de decisão do ministro em ambas as pontas, fica evidente que a estrutura do Conselho da petroleira estava comprometida por conflito de interesses.

Ainda que em críticas veladas, as declarações de Graça Foster por vezes insinuaram o descontentamento do corpo executivo com as decisões do Conselho de Administração.

"Hoje, a orientação do Conselho é não repassar a volatilidade para o mercado e que a gente faça as correções sem repassar essa volatilidade. O real ficou menos depreciado no trimestre e isso nos trouxe para mais perto da convergência de preços. Mas, enquanto não há paridade plena, nós temos que estar considerando um aumento de preços".

Na apresentação dos resultados de primeiro trimestre de 2014, o líder dos acionistas minoritários do Conselho de Administração da Petrobras, Mauro Cunha, entrou com representação junto à CVM para exigir que a estatal tornasse pública sua decisão de não aprovar as demonstrações financeiras da empresa. Cunha reclamou, dentre outras coisas, do pouco tempo dado para que as informações fossem avaliadas e da consolidação de informações sobre investimentos em refino.

Em fato relevante divulgado ao mercado em 29 de novembro de 2013, a Petrobras informou que "*Os parâmetros da metodologia de precificação serão estritamente internos à Companhia*", deixando o mercado completamente no escuro quanto à sua política de preços, e assumindo, publicamente, a postura avessa às boas práticas de transparência.

Por fim, como anda o respeito ao "público de interesse"?

O terceiro ponto da crítica ao desvio de conduta se refere à suposta defesa dos principais públicos de interesse da empresa, dentre eles acionistas e investidores. Nesse quesito, não há contestação mais enfática do que a gigantesca destruição de valor imposta aos mesmos.

Em 2010, a Petrobras conduziu um processo de capitalização no qual tomou R$ 120 bilhões do mercado, através da emissão de novas ações, com o advento do desenvolvimento da fronteira do pré-sal. O processo em si gerou grande discussão no que diz respeito às boas práticas de governança corporativa, uma vez que a União aportou na companhia ativos sem o conhecimento prévio da rentabilidade, viabilidade comercial da produção, ritmo de extração e mesmo antes da comprovação do potencial de reservas.

Desempenho das ações de Petrobras (R$)

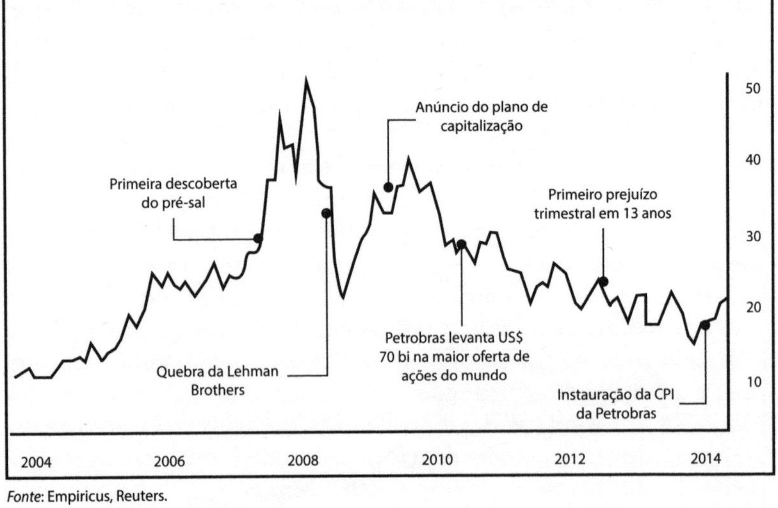

Fonte: Empiricus, Reuters.

Para não sofrer forte diluição na sua participação na empresa, muitos investidores participaram do aumento de capital da estatal, injetando mais dinheiro na companhia. Importante destacar que a Petrobras não conta somente com participação de detentores diretos de suas ações, mas também com uma infinidade de cidadãos que investem indiretamente na estatal através da aplicação do fundo de garantia (FGTS).

O esclarecimento se faz essencial para desqualificar, por completo, quaisquer argumentos de utilização da estatal para um benefício maior, de política social, em detrimento ao prejuízo de uma camada pouco representativa e financeiramente privilegiada da população. Além de inverídico do ponto de vista de abrangência do impacto, trata-se de argumento insustentável, tendo em vista que a estratégia de assunção de prejuízos e queima de caixa recorrente tem um único desfecho possível: a insolvência da empresa.

O impacto do atraso no desenvolvimento do pré-sal, a não confirmada da alardeada auto-suficiência e o subsídio ao consumo interno de combustíveis culminaram na destruição de cerca de R$ 300 bilhões, em valor de mercado, da Petrobras em quatro anos, ocasionando perdas expressivas para a sua base de acionistas. Como pano de fundo, o seu lucro se comprimia e o seu endividamento triplicou nesse breve intervalo (aprofundaremos a questão do aumento da dívida e da diminuição do lucro mais à frente).

Grosso modo, a Petrobras sofreu um atraso de mais de oito anos como resultado da política de gestão (ou, gestão política) em questão.

O comparativo com as principais petroleiras maduras negociadas na Bolsa de Nova York enfatiza a peculiaridade da estatal brasileira em relação aos pares internacionais, desqualificando eventuais associações de sua destruição de valor a choques externos ou nuances setoriais.

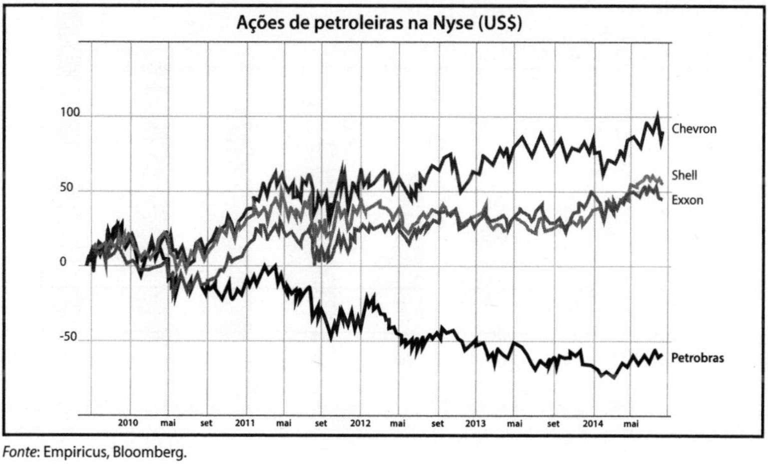

Fonte: Empiricus, Bloomberg.

Como drenar o caixa de uma empresa endividada

Os problemas de gestão da estatal não se limitam à disparidade de preços em relação ao mercado internacional. Além de utilizar a companhia para fazer política de inflação, foram inúmeros os casos de uso da Petrobras para contribuir com o superávit primário do governo e na contabilidade criativa associada às contas públicas.

Enquanto queimou caixa de forma recorrente, a Petrobras viu seu lucro cair sensivelmente e triplicou o seu nível de endividamento em menos de quatro anos, aumentando sete vezes a sua dívida líquida desde 2007.

Mesmo com uma meta menos realista e suscetível à distorção de parâmetros contábeis, o lucro líquido da estatal não passou incólume diante da queima de caixa e das sucessivas baixas de poços secos. Nem considerando a adoção de medidas defensivas de contabilidade (*hedge accounting*) como forma de blindar o seu lucro dos impactos negativos de variação cambial mais especificamente no que diz respeito à marcação no mercado de sua enorme dívida em dólares, a *performance* da estatal deixou de ser comprometida.

De um nível de lucro líquido, que abriu o ciclo do governo Dilma, de R$ 35,9 bilhões no exercício de 2010, a métrica foi abatida para R$ 33,1 bilhões em 2011, R$ 20,9 bilhões em 2012 e R$ 23,0 bilhões em 2013.

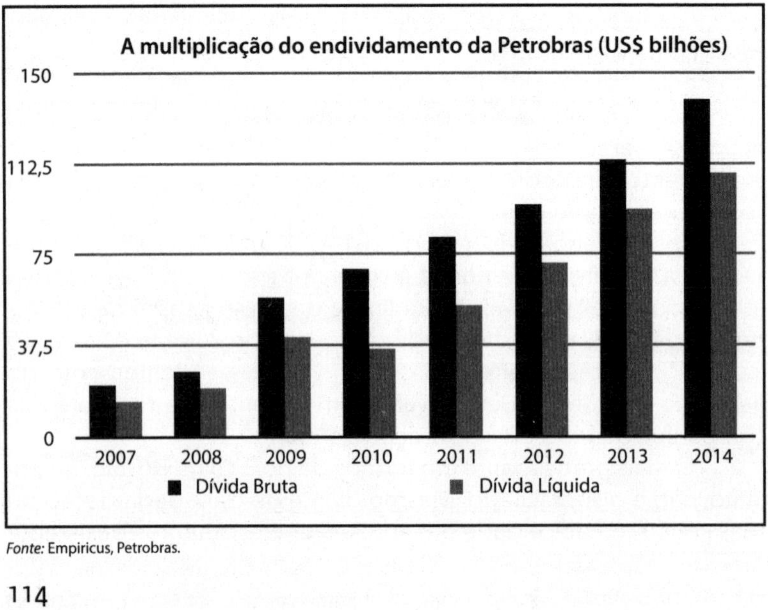

Fonte: Empiricus, Petrobras.

Não bastassem os R$ 120 bilhões tomados do mercado no processo de capitalização de 2010, que entraram como capital próprio, a Petrobras recorreu seguidas vezes ao mercado para tomar dívida (capital de terceiros). Desde a crise, o endividamento líquido da estatal passou de US$ 14,9 bilhões (em dezembro de 2007) para US$ 109,6 bilhões (em junho de 2014). A tomada de dívida se intensificou desde o processo de capitalização, via emissão de ações, sugerindo uma busca pela aceleração de investimentos para o desenvolvimento da fronteira do pré-sal, mas alçando a companhia brasileira ao posto de maior dívida corporativa do mundo.

O argumento de aceleração do Plano de Investimentos para desenvolvimento do pré-sal apresenta contrapontos interessantes.

O primeiro diz respeito à geração de caixa da companhia não ser capaz de acompanhar o aumento de sua dívida. Enquanto a dívida total da Petrobras passou de R$ 117,9 bilhões em 2010 para R$ 307,7 bilhões ao final de junho de 2014 (aumento de R$ 190 bilhões), a companhia queimou R$ 108,2 bilhões de caixa.

A impossibilidade de a Petrobras fazer frente aos seus investimentos via geração de caixa própria levou à tomada de mais dívida (efeito bola de neve) e à sensível deterioração de seu grau de alavancagem financeira, que passou de 1 vez a dívida líquida/ebitda (medida da geração operacional de caixa), em 2010 para 3,9x a dívida líquida/ebitda na metade de 2014, ampliando a percepção de risco sobre a capacidade de a empresa honrar os seus compromissos.

Com o tamanho da dívida ficando muito grande perante sua geração operacional de caixa, o temor é de rebaixamento de suas notas de crédito pelas principais agências de classificação de risco e aumento de seu custo de captação.

O problema é ainda maior quando avaliado a fundo o Plano de Investimentos da estatal, que além de superestimar o ritmo de crescimento da produção, provou-se escorado em premissas excessivamente otimistas.

O seu Plano de Negócios 2014-2018, por exemplo, foi baseado nas hipóteses de convergência dos preços no Brasil com as referências internacionais e um limite de alavancagem de 2,5 vezes dívida líquida/ebitda, atingindo menos de 2 vezes após 2015 (contra 3,9 vezes na metade de 2014). Independentemente do desfecho, são itens que estavam bem distantes da realidade da companhia quando da elaboração do plano.

O mais preocupante em termos de política de gestão, no entanto, não é o supracitado. Mesmo diante de clara degradação de suas contas, da dificuldade em apresentar crescimento consistente de produção, da queda no lucro, da queima de caixa recorrente e da agressividade de seu plano de investimentos, a Petrobras ainda foi submetida à transferência de recursos para a União como forma de contribuir para as contas públicas.

Lembrando que o Estado é o principal beneficiado das distribuições de dividendos da estatal, com 28,7% do capital social da empresa detido pela União Federal, 10,4% através do BNDESPar e 6,9% do capital social de posse do BNDES.

Considerando os exercícios de 2010 a 2013, a Petrobras destinou R$ 25,7 bilhões ao pagamento de dividendos aos acionistas, indo contra a política conservadora de alocação de capital, que o momento claramente exigia, que seria superior aos limites que constavam em sua política de distribuição de proventos:

As ações preferenciais terão prioridade no caso de reembolso do capital e no recebimento dos dividendos, no mínimo, de 5% calculado sobre a parte do capital representada por essa espécie de ações, ou de 3% do valor do patrimônio líquido da ação, prevalecendo sempre o maior, participando, em igualdade, com as ações ordinárias, nos aumentos do capital social decorrentes de incorporação de reservas e lucros (Art. 5° - § 2° do Estatuto Social).

As ações preferenciais participarão, não cumulativamente, em igualdade de condições com as ações ordinárias, na distribuição dos dividendos, quando superiores ao percentual mínimo que lhes é assegurado no parágrafo anterior (Art. 5° - § 3° do Estatuto Social).

De um superávit primário de R$ 16,59 bilhões do Governo Central, de janeiro a abril de 2014, por exemplo, R$ 2,0 bilhões foram provenientes de dividendos da Petrobras, fato destacado pelas manchetes à ocasião:

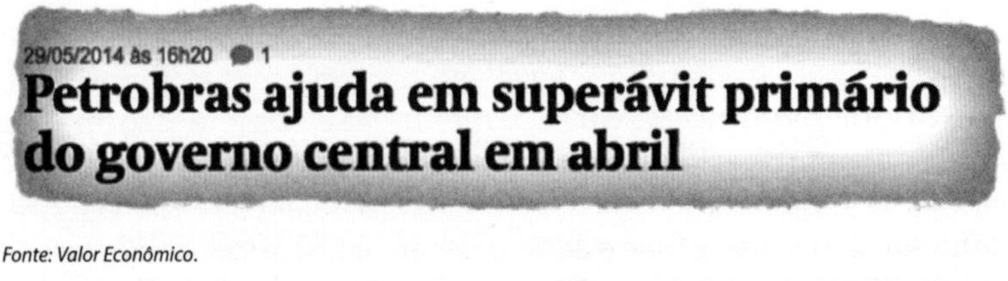
29/05/2014 às 16h20 1

Petrobras ajuda em superávit primário do governo central em abril

Fonte: Valor Econômico.

E a distribuição de dividendos não foi o único instrumento utilizado para transferir o caixa da estatal para a União...

Em reunião do Conselho Nacional de Política Energética (CNPE) realizada em junho de 2014, a União transferiu para a Petrobras o direito de exploração de volumes excedentes de petróleo dos contratos de cessão onerosa do pré-sal, em expediente que sequer passou por licitação e/ou pelo Conselho de Administração da companhia.

Como se não estivesse com a estrutura de capital em risco, com a maior dívida corporativa do mundo e alavancagem rodando a 3,9 vezes a dívida líquida/ebitda, bem acima dos limites de seu Plano de Negócios, a Petrobras teria de antecipar, com base no contrato, R$ 15 bilhões para a União até 2018.

Desse montante, R$ 2 bilhões seriam pagos imediatamente pelo bônus de assinatura, com os R$ 13 bilhões restantes a título de antecipação para o governo do que ele terá direito sobre a produção futura. Detalhe: a "produção futura" começaria a partir de 2021. Pressão adicional sobre o balanço capaz de despertar no mercado temores de aumento de capital à frente, teria a empresa, de novo, de pedir dinheiro ao mercado?

A opinião foi compartilhada pelo mercado. Em relatório de análise à ocasião, o banco BTG Pactual, por exemplo, comentou que o novo investimento *"Aumenta significativamente o risco de a Petrobras precisar fazer um aumento de capital em 2015".*

Já o UBS questionou o fato de a estatal ter feito o anúncio do excedente da cessão onerosa antes mesmo da comprovação da reserva dos cinco bilhões de barris da cessão onerosa, ampliando o nível de incerteza e se a Petrobras conseguiria ou não desenvolver todas as áreas do pré-sal ao mesmo tempo.

Sob o argumento de condições de mercado para a compra, o secretário de Petróleo e Gás do Ministério de Minas e Energia, Marco Antônio Almeida, afirmou na ocasião que o repasse de recursos para o governo seria "desprezível" se a Petrobras cumprisse tudo o que estava previsto no portfólio para os próximos anos. Como vimos, o cumprimento de previsões não é propriamente uma virtude da estatal, pelo contrário.

Não bastasse, a utilização da petroleira para fins de auxílio nas contas públicas também envolveu episódios de contabilidade criativa por parte do Governo Federal. Não fosse a exportação de sete plataformas de petróleo, manobra que rendeu US$ 7,734 bilhões, o superávit de US$ 2,5 bilhões da balança comercial brasileira em 2013, na verdade seria um déficit histórico, da ordem de US$ 5,2 bilhões.

A venda em questão foi realizada pela Petrobras brasileira para subsidiárias da Petrobras no exterior; e a manobra foi estritamente contábil, uma vez que as plataformas não se moveram do lugar.

Os problemas de gestão da empresa, tendo à frente José Sérgio Gabrielli e Graça Foster, também envolveram episódios de alocação ineficiente de recursos, levantando suspeitas de superfaturamento de projetos e omissão de informações.

No caso da compra de refinaria em Pasadena (EUA), em 2006, avalizada pela então presidente do Conselho de Administração Dilma Rousseff, investigações do Tribunal de Contas da União (TCU), da Polícia Federal e do Ministério Público indicaram que o relatório utilizado pela empresa para aprovar o negócio era falho e omitia cláusulas que acabaram gerando mais gastos à estatal.

A Petrobras adquiriu 50% da refinaria, em fevereiro de 2006, por US$ 360 milhões, valor muito superior aos US$ 42,5 milhões pagos um ano antes pela belga Astra Oil pelo mesmo ativo. Posteriormente, a estatal brasileira foi obrigada por corte de arbitragem a adquirir 100% da unidade. Ao final, segundo o TCU, o negócio custou à Petrobras US$ 1,2 bilhão.

O caso levou à instauração de uma CPI para apurar eventuais irregularidades na condução do negócio. Durante o trabalho da comissão para apuração das denúncias, reportagem da revista Veja denunciou fraude na CPI, apontando que governistas engendraram esquema para passar aos depoentes previamente as perguntas que seriam feitas pelos senadores, indicando as respostas que deveriam ser dadas.

Mas em termos de impacto potencial, sob a ótica estritamente financeira, o negócio de Pasadena não é dos mais representativos. A alocação ineficiente de recursos, falhas de diagnóstico e estouros de orçamento destacam, por exemplo, o projeto da Refinaria do Nordeste (Rnest) ou "Abreu e Lima", na cidade de Ipojuca, região metropolitana do Recife (Pernambuco).

De um investimento inicialmente previsto em US$ 2,5 bilhões com inauguração projetada para 2010, a obra atrasou quatro anos e custou cerca de oito vezes mais do que o inicialmente orçado, com a utlização de aproximadamente US$ 20 bilhões no projeto total, segundo declarações de Graça Foster.

A ineficiência nos investimentos e a compressão da rentabilidade da companhia sobressaem em um comparativo setorial. Apesar do crescimento do volume de reservas e da facilidade de acesso à riqueza natural do País, dentre as grandes companhias internacionais do setor petrolífero a estatal brasileira é, de longe, a que registra os piores índices de rentabilidade. Veja na tabela o retorno sobre o patrimônio líquido (ROE) na média de cinco anos, até a metade de 2014:

Empresa	ROE (média 5 anos)
Petrobras	10,4%
Exxon Mobil	23,3%
Chevron	18,1%
Royal Dutch Shell	13,8%
Ecopetrol	32,8%
China Petroleum	15,1%

Fonte: Empiricus, Reuters.

A insustentabilidade do *status quo*

As falhas de gestão e ingerência política supracitadas culminaram em uma situação crítica para a empresa, mas o próprio apontamento das falhas acaba indicando quase tautologicamente o caminho para a reversão do cenário e uma reestruturação operacional e financeira da Petrobras.

Entre as medidas evidentes, citam-se:

1. uma reforma no Conselho de Administração da empresa, de forma a ampliar a autonomia do mesmo via composição de membros independentes e redução do risco de conflitos de interesse com sobreposição de cargos-chave e objetivos da União Federal;

2. a adoção de uma política de preços transparente, respeitando condições de mercado, como forma de estancar as consecutivas queimas de caixa do segmento de abastecimento até que seja eliminado o déficit da capacidade interna de refino da companhia;

3. a adoção de metas conservadoras para as operações e redução dos planos de investimentos, excessivamente agressivos e baseados em premissas distantes da realidade; priorização de projetos dentro do *core business* e com retorno mais rápido para a recuperação da estrutura de capitais ampliação do Programa de Eficiência Operacional da Bacia Bacia de Campos (Proef);

4. descontinuidade de projetos fora do core business e enxugamento da estrutura de custos e despesas operacionais - ampliação do programa de venda de ativos.

Medidas aparentemente impopulares, mas *sine qua non* para a perpetuação da estatal petrolífera, com tamanho e rentabilidade alinhados a seu verdadeiro potencial.

A gestão política em poucos anos colocou em xeque a própria sustentabilidade da Petrobras, com riscos de um novo aumento de capital, sob a única prerrogativa de maquiar efeitos de uma política econômica falha.

A completa virada da bandeira política, de subterfúgio populista da situação para o centro do argumento da oposição, mostrou que, em poucos anos, além de nociva à companhia e à sua base de acionistas, a estratégia foi um tiro no pé também sob o ponto de vista eleitoral.

Capítulo 7

O desarranjo do setor elétrico

Este sétimo capítulo aborda os problemas do setor elétrico brasileiro, mais especificamente a ameaça recorrente de racionamento de energia e os desdobramentos setoriais, altamente dependentes das variações climáticas.

Resumidamente, existe, atualmente, uma combinação de (i) escolhas do governo nos últimos anos (preferência por usinas fio d'água a usinas de acumulação e demonização das térmicas, entre outros) com (ii) falhas de acompanhamento e execução do planejamento (oferta de energia não entregue e que continuava sendo contada no cálculo de superávit de energia), somado a iii) mudanças e atrasos regulatórios que aumentaram a incerteza para investimentos, e (iv) uma hidrologia altamente desfavorável, levando ao cenário crítico observado.

Falamos de reservatórios com 34% de energia armazenada no Sudeste/Centro Oeste e 32% no Nordeste no final de julho de 2014, com prognóstico de rápido declínio. O PLD (Preço de Liquidação de Diferenças) segue em alta, ficando, em vários momentos, no teto do limite de valor.

O novo modelo do setor elétrico e usinas fio d'água

A matriz energética brasileira é, em grande parte, hídrica, conforme o gráfico abaixo. As térmicas a gás e a carvão somam aproximadamente 14%, para 67% de geração hídrica. Há dois anos, o percentual era ainda maior, na casa de 74%.

Ocorre que há distinções dentro desse grande bolo denominado "hidro". Uma das grandes mudanças dos últimos 15 anos foi o processo de demonização das usinas com reservatórios, com privilégio do governo às usinas de fio d'água. Na primeira, há altas quedas, permitindo acúmulo de grande quantidade de água, que funciona como estoque a ser utilizado em período mais seco. Para que haja esse acúmulo, há necessidade de maiores áreas alagadas para construção da usina, o que esbarra na questão ambiental. O mesmo não acontece nas unidades a fio d'água, que geram energia com o fluxo de água do rio, ou seja, pela vazão com mínimo ou nenhum acúmulo do recurso hídrico. Sem o acúmulo, há menor necessidade de áreas alagadas, diminuindo o impacto ambiental.

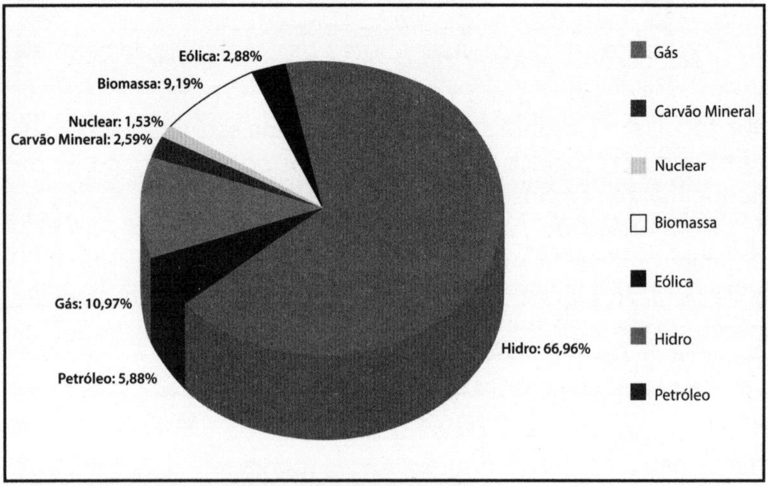

Fonte: Aneel (atualizado na primeira semana de agosto/2014).

Nos últimos 14 anos, apenas cerca de 20% das hidrelétricas leiloadas têm esses reservatórios. De acordo com entrevista do diretor geral do Operador Nacional do Sistema Elétrico (ONS), Hermes Chipp, entre 2013 e 2018, dos 20 mil MegaWatts de capacidade hídrica que deve entrar em operação no sistema, apenas 200 MW (1% das usinas) têm reservatórios. A capacidade de armazenamento das hidrelétricas caiu de 6,3 meses para 4,7 meses nos últimos 10 anos, e pode cair para 3,8 meses em 2018.

O aumento da influência do tema da sustentabilidade nas decisões relacionadas ao setor elétrico tem um preço. Além de estar menos coberto em períodos de seca (o que seria parcialmente mitigado, caso houvesse reservatórios nas usinas com potencial para geração de energia elétrica), as exigências ambientais têm contribuído para os atrasos no início das operações das usinas. Além dos documentos exigidos para que as construções possam começar, que muitas vezes demoram e atrasam o início dos projetos, temos visto com frequência liminares concedidas pela Justiça pedindo a paralisação de obras já iniciadas, em função de algum impacto ambiental.

A ironia aqui é que a decisão acabou sendo um tiro no pé, não apenas para o setor elétrico, mas também para as preocupações dos ambientalistas.

A necessidade de térmicas para garantir o funcionamento do sistema aumentou, gerando grande impacto ambiental (nenhuma fonte está livre disso, vale ressaltar).

Na escolha entre hidrelétricas com reservatórios ou fio d'água, a definição passa pela área que precisará ser alagada. Quando a térmica entra em cena, o problema está ligado (além da questão do preço mais elevado) aos gases poluentes decorrentes da queima de combustível para gerar energia.

Em artigo do jornal *Valor Econômico*, publicado no final de julho, o engenheiro Elcias J. Ferreira, que foi superintendente de geração hidráulica de Furnas, detalhou como a construção de reservatórios rio acima e alteamento das barragens poderiam amenizar o problema.

Ele utiliza o caso de Belo Monte como exemplo: o potencial inicial estimado de 16 mil MW foi reduzido até 11,4 mil MW; como a usina não tem reservatório, a geração média será de 4,5 mil MW. Este valor poderia dobrar com o alteamento da barragem e construção de reservatório. Como efeito colateral, *"A ampliação dos reservatórios também ajudaria na estabilização do regime de chuvas. A existência de grandes espelhos d'água aumentaria a evaporação e a formação de nuvens, melhorando a distribuição das chuvas"*.

Ainda há soluções possíveis; essa é uma delas.

Erros no caminho

Separamos aqui quatro pontos que consideramos erros de execução e de avaliação do setor nos últimos anos:

O cálculo equivocado de excedente de oferta: Por muitos anos o governo considerou em seu cálculo de balanço da oferta e demanda de energia projetos que estavam em atraso ou, no caso mais emblemático, que jamais entrariam em operação. Trata-se do caso das usinas do grupo Bertin, que venceu dezenas de leilões em 2008 e não entregou nenhuma usina.

A Aneel divulga as seis térmicas do grupo na tabela mensal de acompanhamento das Centrais Geradoras. Elas entram na categoria viabilidade "Baixa", que monta a 2,2 GW dos 6,3 GW totais de capacidade de térmicas que deveriam entrar em operação até 2018 (você pode constatar isso no *link*: **http://www.aneel.gov.br/arquivos/pdf/UTE_Cronograma_Eventos_julho_2014.pdf**). Todos esses atrasos não foram considerados na estrutura de formação de preços de energia posto que, o planejamento oficial garantia a entrega dessas usinas.

Atrasos no início da operação de modo geral: Bertin foi o caso mais grave, dado que não entregou nenhuma usina. Mas não foi o único. Há muitas usinas hidrelétricas em atraso neste momento como Jirau e Santo Antônio, que deveriam começar a gerar em março de 2014, de acordo com o cronograma inicial, mas no terceiro trimestre de 2014 operavam apenas parcialmente. Além de problemas de responsabilidade das empresas, temos também problemas estruturais, como o atraso na concessão de licenças ambientais e paralisação de obras em funções de liminar por motivos sociais e ambientais.

Problemas de interligação do sistema: Não bastasse esse problema, tivemos, ao longo dos anos, casos de usinas de geração que ficaram prontas dentro do prazo, mas esbarravam no atraso das linhas de transmissão. Uma das fontes mais afetadas aqui foi a eólica (ao final do ano passado, de uma capacidade de geração de 3,4 GW de energia eólica, 1,2 GW deixava de gerar, embora prontos, por falta de linhas de transmissão).

Térmicas a gás: A questão do fornecimento de gás para usinas térmicas gera preocupação há anos. A Petrobras não garante o fornecimento e as empresas, sem essa garantia, não têm visibilidade para colocar esses projetos em leilão. Para citar apenas um caso, AES Tietê tem um projeto de térmica aprovado no interior de São Paulo, mas não entra em leilão enquanto não houver garantia do fornecimento. A possibilidade de importação, além de ser cara, não está sendo incentivada pelo governo e não se apresentam soluções.

Insegurança regulatória

Na metade de 2010, o governo publicou os primeiros documentos do terceiro ciclo de revisão tarifária das distribuidoras de energia.

Para quem não tem intimidade com o setor elétrico: trata-se do mecanismo pelo qual são definidas as tarifas cobradas pelas concessionárias de energia: Eletropaulo, em São Paulo; Light no Rio de Janeiro e Copel no Paraná, por exemplo.

Antes da adoção do novo modelo do setor elétrico, a definição era feita como uma função da inflação. O novo modelo, aplaudido por especialistas e pelas empresas, passou a considerar os investimentos feitos pelas companhias em sua base de ativos. Trata-se de um modelo que, através de diversos mecanismos que irão compor o reajuste da tarifa, premia as empresas mais eficientes, com maior qualidade de fornecimento e que mais realizam investimentos.

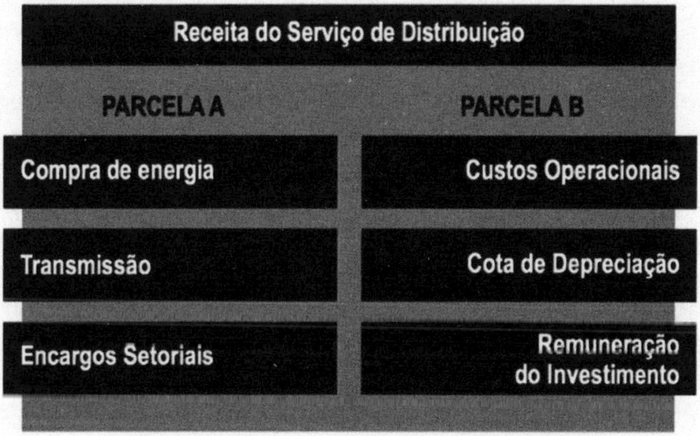

Tarifa de energia = Parcela A + Parcela B

Fonte: Aneel.

Depois de dois ciclos de revisão relativamente tranquilos, o terceiro ciclo trouxe mudanças regulatórias e adicionou incerteza ao setor. As ações das empresas listadas despencaram e se seguiu uma novela centrada na definição do WACC regulatório (Custo Médio Ponderado do Capital).

Em meio ao fogo cruzado, a Aneel atrasou o início do terceiro ciclo, impactando as primeiras empresas que teriam de passar pelo processo. Essas empresas ficaram com a tarifa congelada e posteriormente precisaram devolver a redução tarifária para o consumidor.

O entendimento do próprio regulador de que bateu demais nas empresas pode ser notado pelos primeiros documentos relativos ao quarto ciclo, iniciado em 2015. A Aneel adotou uma postura mais amigável com o mercado, sem surpresas drásticas na metodologia e sem queda brusca no WACC. Entendemos a postura como uma confirmação de que o regulador percebe que a pressão sobre as empresas no terceiro ciclo foi exagerada.

Não estamos questionando o modelo de revisão tarifária em si, nem casos pontuais em que empresas, que não investiam o previsto, foram punidas. Concordamos com isso, com a ideia de premiar empresas eficientes e repassar ao consumidor se há uma redução no custo de capital, por exemplo. Mas não concordamos com a forma abrupta como foi conduzido o processo, em uma tentativa de reduzir as tarifas para os consumidores a qualquer preço. Esse episódio aumentou a incerteza regulatória do setor.

Paralelamente à questão do ciclo de revisão tarifária, o principal tema do setor elétrico nos últimos anos dizia respeito ao vencimento do prazo das concessões das usinas. Pela forma como se organiza o setor no país, as empresas possuem uma concessão que autoriza a atividade, classificada como "utilidade pública". Ao final do prazo de concessão, os bens vinculados à prestação do serviço são revertidos para a União. Até a Constituição de 1988, as concessões eram atribuídas pelo governo, em geral para estatais, sem critérios claros (diferente do modelo atual, com realização de leilões em que ganha quem oferece o menor preço por MWh).

Em 1995, vencia o prazo de muitas das concessões outorgadas antes das primeiras mudanças. À época, a Lei nº 9.074 permitiu prorrogação do prazo por mais 20 anos para as concessões vencidas. Empurrou-se a questão para ser resolvida no então longínquo 2015. Conforme a data se aproximava, aumentaram as especulações sobre como seria resolvida a questão, de extrema relevância: em 2015 vence 20% do parque gerador do país e 67% das linhas de transmissão.

Desde 2009 os agentes do setor ressaltam a importância de uma definição rápida sobre o tema. Os leilões de privatização da Cesp, por exemplo, fracassaram no período: sem uma definição sobre o que aconteceria com o parque gerador da companhia, as empresas não possuíam garantias para investir. Sem saber se ficariam ou não com as usinas, muitas empresas acabaram com grande percentual de energia descontratada. Óbvio, não havia sentido vender energia para os anos subsequentes sem saber se teriam como gerá-la.

Em setembro de 2012, de forma abrupta e sem conversas com o empresariado, o governo publicou a Medida Provisória 579, com as regras que balizariam a questão. Além de mudanças drásticas na remuneração, houve polêmica em diversos pontos, sobretudo nas questões referentes às indenizações de investimentos já realizados.

Embora não tenha havido quebra de contrato em âmbito geral (há exceções pontuais em discussão), a forma como o processo foi conduzido gerou mal estar no setor. As regras foram feitas com objetivo claro de reduzir as tarifas para os consumidores finais (vide a utilização maciça dessa medida em propagandas políticas e eleitorais desde então). O prazo dado para que as empresas resolvessem sobre a adesão ou não às novas regras foi curto, e o próprio governo voltou atrás. Tanto é que, a dois dias do prazo para a decisão, houve mudança em uma das regras.

Percebendo que não haveria adesão das principais empresas de transmissão caso fosse mantida a regra anterior, o governo mudou radicalmente: as concessões de transmissão, que antes eram consideradas todas com investimento 100% amortizadas, passariam a ter direito a indenização. Amostra emblemática da falta de planejamento: uma mudança relevante tomada a dois dias do fim do prazo, cerca de um mês depois da proposta anterior.

Em nossa visão, é pouco rigoroso (e até oportunista) dizer que as mudanças oriundas da MP 579 são causa exclusiva do cenário crítico. As decisões tomadas talvez não sejam. No entanto, certamente a demora para resolver a questão e a falta de diálogo foram ruins para o setor, contribuindo para atrapalhar o planejamento das empresas.

A indefinição que marcou esses últimos anos prejudicou a participação em leilões, a venda de energia e decisões de investimentos de várias empresas. Não à toa, a Cesp, por exemplo, uma das mais impactadas, ficou anos com grande parcela de sua energia descontratada.

A condução da questão se tornou um exemplo emblemático dos problemas da atual gestão, que ajudaram a compor o cenário atual: falta de diálogo, uso político do setor, decisões tomadas em cima da hora com posterior mudança, indicando falta de planejamento, e ambiente regulatório pouco propício a investimentos sob a ótica dos empresários.

São Pedro e o expediente político

Se não tivéssemos nos deparado com uma das piores hidrologias dos últimos oitenta anos, talvez os problemas estruturais do setor elétrico não se fizessem notar de forma tão enfática como estamos vendo agora.

O tema não é novo, e desde o início de 2013 temos visto queda no nível dos reservatórios e períodos úmidos com menos chuvas do que o normal. No gráfico abaixo, compare os níveis de reservatórios hoje com os registrados em 2001 e 2002, quando houve problemas de abastecimento e o país passou por racionamento de energia.

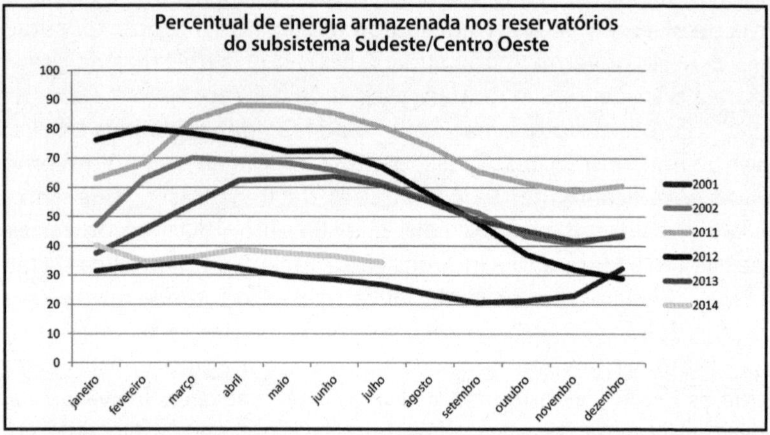

Fonte: Canal Energia, dados da ONS.

O país deve chegar ao período úmido, que costuma ter mais chuvas, com 18% de energia armazenada, quando o ideal seria um número de cerca de 43%. Nesse nível, mesmo com o menor volume da série histórica no período chuvoso, haveria garantia de suprimento de energia para o próximo ano.

Com o patamar atual, no entanto, mesmo sendo plausível terminar 2014 sem necessidade no corte da demanda, haverá: (i) alta dependência das chuvas para determinar a situação do próximo ano (é necessário que chova 77% da média histórica para garantir suprimento do próximo ano) e (ii) possibilidade de falta de energia em momentos de pico de consumo.

A avaliação é de que um corte de carga de 5% deveria ter sido adotado em maio de 2014, ao final do período de chuva (que termina em abril), quando o prognóstico ruim dos reservatórios já podia ser observado. Com esse corte, ao longo de 10 a 12 meses, teríamos um alívio na situação dos reservatórios, passando pelo próximo período chuvoso com mais tranquilidade.

A avaliação técnica esbarra em questões políticas. É impensável do ponto de vista político decretar racionamento em ano eleitoral - sobretudo para um governo que teve na redução do preço de energia uma das principais bandeiras de campanha. Empurrar o início do corte de carga com a barriga impactará em custo maior quando este corte for adotado.

Veja que temos aqui mais um tiro no pé. Caso o cenário climático não ajude, o consumidor pode enfrentar (a) reajuste tarifário anual das contas de luz, com repasse do custo das distribuidoras com a compra de energia no mercado spot, financiada agora pelo Tesouro + bancos, e (b) racionamento.

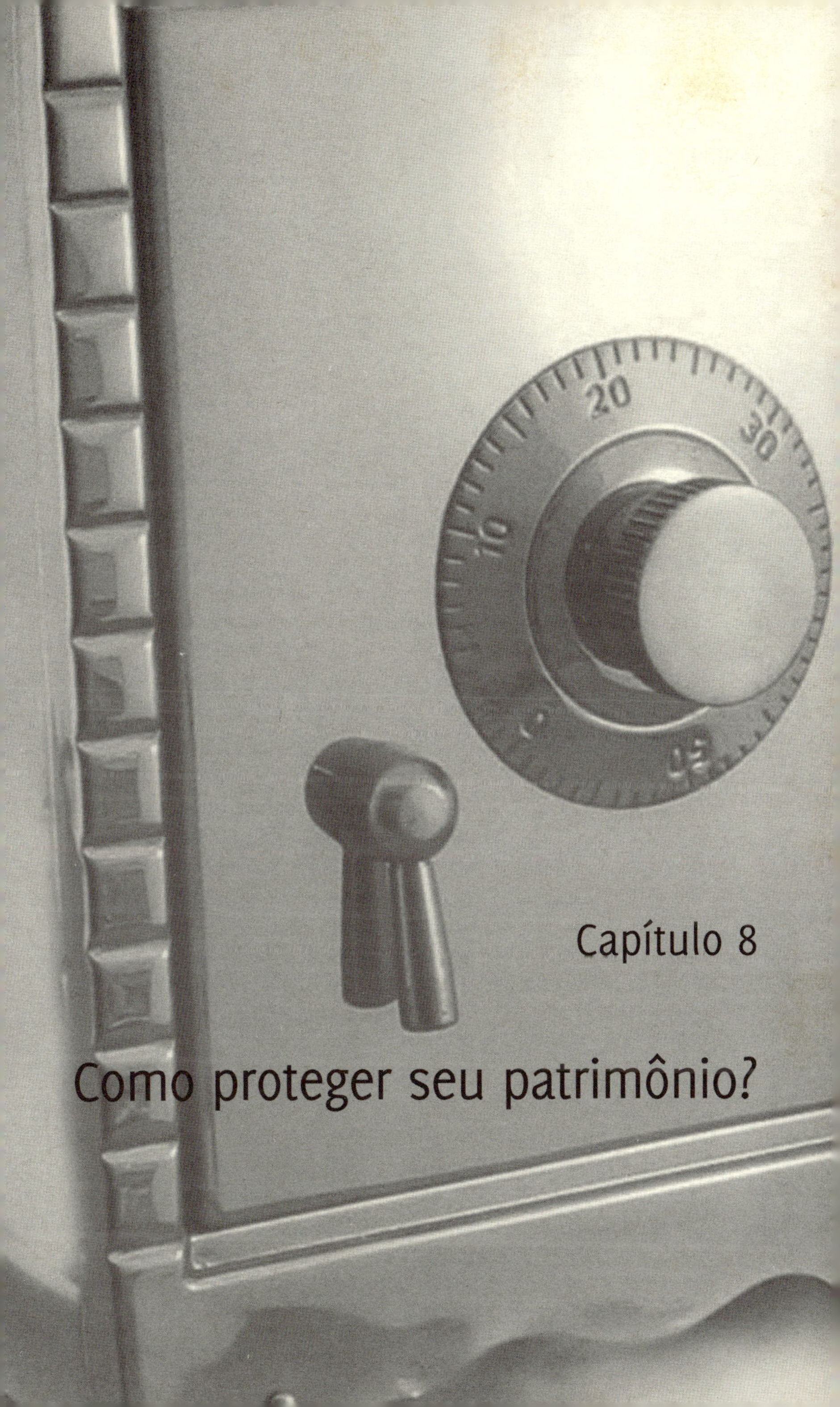

Capítulo 8

Como proteger seu patrimônio?

Desculpe-me a aparente redundância na pergunta a seguir, mas não posso evitá-la: Por que as grandes crises econômicas exercem efeitos tão críticos nos nossos bolsos?

Em tese, um dado conjunto de problemas econômicos só assume dimensão de crise quando pega as pessoas despreparadas.

Exemplo inequívoco nesse sentido foi dado pelo cartão de visitas do Governo Collor: o sequestro da poupança, em 1990. Fomos todos surpreendidos.

Meu pai não havia sido avisado da iminência do confisco. O vizinho do meu pai também não. Se soubéssemos que um absurdo do tipo estaria prestes a acontecer, teríamos nos preparado de acordo. Sacaríamos a grana da poupança, investiríamos fora do país. Mas essa chance não foi dada aos "indivíduos comuns".

Seria esse o destino do cidadão comum? Sempre ser o último a saber?

A história ensina que, em qualquer episódio drástico de deterioração econômica, a maior parte da população acaba arrastada pelo *tsunami* que parecia marolinha.

Às vezes, isso ocorre por meio de eventos pontuais, como na poupança de Collor. É difícil imaginar o que se passa na cabeça de um estadista e, ainda mais difícil, se prevenir desses rompantes de ego.

Na maioria dos casos, porém, o cenário explosivo vai se formando aos poucos. Um probleminha aqui, outro ali, até juntar combustível suficiente para eclodir. Quando vem à tona, parece um grande imprevisto, mas não era.

Durante a formação da crise, alguns economistas dotados de independência e senso crítico fazem seus alertas, que passam despercebidos. Eles dizem coisas como: "existe muita inflação oculta", "o déficit das contas públicas está sendo maquiado", "não há como o Banco Central vender dólares para sempre". Ninguém liga tanto, pois parece aquele típico papo chato de economista.

As pessoas só vão perceber tudo isso quando pesar dramaticamente no bolso. Infelizmente, é assim que funciona. Quando pesa direto em nosso bolso, nos preocupamos, xingamos, percebemos os verdadeiros culpados. Daí já é tarde demais.

Ciente de que a Economia é uma ciência social, eu realmente gostaria de contribuir ao máximo para que todos escapassem desse triste pesar no bolso. Gostaria de salvar o PIB de um país inteiro. Não obstante, conheço as restrições impostas pela história. Crises existem e continuarão existindo, justamente devido ao despreparo de uma parcela majoritária da população. São poucos os aptos a driblá-las, são pouquíssimos os que enriquecem mesmo em contextos depressivos.

Sem utopia, portanto, considero cumprida minha missão caso você, caro leitor, consiga proteger seu patrimônio da melhor forma possível diante dessa crise que se avizinha. Não é o PIB de um país, mas é o seu PIB, e o de sua família.

O que me leva a crer na capacidade de antecipar o pior?

Primeiramente, me parece óbvio que a situação em pauta não remete àquela do rompante egotista de Collor, imprevisível por natureza. Há, sim, um ego exacerbado no Governo Dilma, já acusado pelo desejo de controle. Porém, esse exagero se manifesta em contexto. Não é o resultado de um sono mal dormido, de acordar com o pé esquerdo, mas sim de uma nova matriz econômica, cujas implicações têm sido sistematicamente desastrosas.

A essa altura, depois de quatro anos, sabemos o que é o Governo Dilma. Podemos criticá-lo por seu futebol sem graça, mas não pela ausência de padrão de jogo. Dia após dia, as decisões são tomadas dentro de um mesmo arcabouço e isso acaba facilitando meu ambicioso trabalho de antevisão.

Nesse sentido, discordo daqueles que avaliam que a gestão pública atual gerou muitas incertezas no *front* econômico. Muitas incertezas seriam infinitamente melhores do que as fatídicas certezas com as quais somos obrigados a nos defrontar neste fim do Brasil.

O empresariado nacional não deixou de investir somente por causa das inúmeras incertezas. Afinal, este é justamente o mérito do empresário: ter a coragem e a habilidade de lidar com incógnitas.

Nosso espírito animal sucumbiu por outra razão, pelas firmes certezas de baixo crescimento, inflação descontrolada, rombo no orçamento, juros elevados, câmbio artificialmente valorizado. Parafraseando o Nobel de Literatura, José Saramago, não sou pessimista; a realidade é que anda péssima.

Não se trata aqui da cabeça de um estadista, mas sim do corpo de um modelo de Estado, com tórax inchado e braços longos. Podemos, assim, eliminar a primeira hipótese e partir para a segunda: a do cenário explosivo que vai se formando aos poucos.

Os maias não habitaram estas terras. O Brasil não acaba na última data do calendário, com a queda de um meteoro. As complicações vêm se aprofundando há anos. Algumas desde a crise financeira de 2008, à qual não sobrevivemos ilesos; outras, intensificadas pelo improviso do mandato corrente. Não há como terceirizar culpas construídas meticulosamente ao longo do tempo.

Isso faz de mim o pior profeta e o pior visionário. Extrapolo apenas o trivial, não existe um salto mágico em minha narrativa. Se é fácil contar essa história até aqui, não pode ser tão difícil projetar suas conclusões. Como na crônica da morte anunciada de Gabriel García Marquez, o narrador já sabe como acaba este enredo, e avisa ao leitor logo no início do livro. Todavia, nada disso neutraliza o interesse pela trama, pois ainda queremos saber de que modo as coisas se desenrolam e de que modo podemos evitar que o destino fatídico do protagonista seja o nosso destino.

De agora em diante, este será meu foco, um foco construtivista.

Neste momento, depois de ter sido conduzido por sete capítulos esclarecedores, assumo que você já se convenceu de que a economia brasileira está prestes a experimentar tempos dificílimos. Provavelmente, sua maior crise desde os anos 1980.

Você não quer simplesmente jogar no lixo suas valiosas conquistas financeiras das últimas duas décadas, pagando por um erro que não foi você quem cometeu.

Na atual situação, buscamos alternativas para nos protegermos. Alternativas relativamente fáceis de se implementar e com efeitos imediatos, pois as coisas tendem a piorar mais rapidamente de agora em diante.

Antes de passarmos especificamente a cada uma das recomendações, penso ser útil caracterizá-las de maneira ampla, conforme os inimigos que detemos em comum. Dessa forma, baseado em características gerais, você mesmo poderá prospectar outras vias de proteção que se adequem a objetivos particulares.

Se tivéssemos que eleger um autor por excelência, afirmaríamos que *O fim do Brasil* é obra do Governo Dilma. Contudo, isso não significa que sua materialização dependa necessariamente da reeleição da presidente. Tampouco significa que uma Nova Dilma paz e amor por si só improbabilíssima seria capaz de virar o jogo.

Minha hipótese é de que a conjuntura econômica atual se tornou tão complexa que contaminará incontestavelmente o curto prazo. Qualquer que seja o candidato eleito, receberá o cargo numa situação vexatória. Não adianta supor romanticamente que a oposição trará consigo soluções instantâneas, nas quais bastará adicionar água. Até porque, mesmo se assim fosse, vivemos tempos de estiagem.

O que eu entendo por curto prazo? O ano de 2015 está seriamente comprometido. É um ano perdido. Exigirá enormes esforços econômicos e políticos, os quais abordarei no próximo capítulo. A sociedade brasileira pagará um preço excessivo em 2015 pelos excessos cometidos nos últimos quatro anos.

Até certo ponto, o mercado já vem se preocupando com um futuro de vacas magras. No Relatório Focus do Banco Central, identificamos estimativas de inflação acima de 6% para o final de 2015, combinada com crescimento do PIB de apenas 1%. O câmbio fecharia o período a R$ 2,50. Em um contexto aprofundado de desestabilização, a Selic teria que subir ainda mais, chegando a 12%.

Todos esses números adiantados pelo Focus são significativamente ruins. Comparados com meus próprios cálculos, porém, eles constituem o que eu chamo de um cenário otimista para a economia brasileira em 2015.

Embora a inflação oficial possa de fato se enquadrar no novo centro da meta de 6,5% ao ano, a verdadeira inflação rodará entre 8% e 10% ao ano. Aqueles que têm saudades da época anterior à implantação do Plano Real poderão curar sua nostalgia visitando o supermercado com frequência, comparando os preços semana a semana. Aproveitem também para limpar a dispensa ou o depósito da garagem, pois eles voltarão a ser usados como redutos de estocagem de produtos básicos.

Em especial, dentre todas as variáveis projetadas pelo Focus, aquela que me soa mais esperançosa é a de aumento, mesmo que módico, do PIB. A julgar pela forte retração da indústria, saturação do varejo e desvalorização das *commodities* agrícolas, julgo muito mais prudente trabalhar com perpectivas de queda da atividade em 2015.

Um catalisador importante nesse sentido, por ora praticamente ignorado pelo mercado será dado pelo desemprego. Não há meios de uma economia repleta de fissuras como a nossa manter níveis razoáveis de emprego.

Até pouco tempo atrás, o mercado de trabalho vinha sendo sustentado por uma combinação única entre (i) condições demográficas favoráveis, (ii) queda na procura por ocupação e (iii) efeito carregamento da expansão do crédito até 2012. Mas o recuo no investimento, a baixa produtividade do trabalhador nacional e as pressões inflacionárias passam a assumir tom predominante.

Conforme já exposto no quarto capítulo, as estatísticas do Caged acusam um rápido recuo na geração de vagas no segundo semestre de 2014. Na verdade, uma análise mais cuidadosa permite concluir que, se não fossem fatores sazonais do setor agrícola, estaríamos já verificando destruição de vagas mês a mês.

Como os custos de demissão no Brasil são elevados, a tendência do empresariado é de tentar segurar a força de trabalho até o último minuto, na esperança (normalmente inútil) de alguma melhora. Mesmo esse último minuto já foi contabilizado em nosso relógio, de modo que as demissões serão aceleradas daqui em diante.

A relação entre PIB e desemprego é muito íntima. Quando as coisas vão bem, um alimenta o outro, naquilo que os economistas chamam de *looping* progressivo. Quando as coisas vão mal, o *looping* muda de sinal, tornando-se regressivo. A partir do momento em que entramos no estágio de retroalimentação que caracteriza o *looping*, a piora não se dá mais de maneira gradual, mas sim com bastante agilidade. Podemos ter 5% de desemprego e, um ano depois, já atingirmos 10% de desemprego.

Seria tolo de minha parte tentar prever a exata taxa de desemprego ao final de 2015, mas me sinto confortável para afirmar que ela aumentará substancialmente, respondendo à reação em cadeia que descrevi. Com o recrudescimento do mercado de trabalho, o PIB não conseguirá se manter em terreno positivo. Em breve, as manchetes de recessão voltarão a ocupar destaque no noticiário, provavelmente qualificadas de forma ainda mais dura, como estagflação.

Lado a lado, nossa economía em declínio face à recuperação da atividade nos EUA seria o suficiente para justificar a contínua apreciação do dólar em relação ao real. Essa é a lógica básica, que admitiria duas exceções: a política monetária e as contas externas.

Não há, do ponto de vista monetário, munição adicional para o Banco Central brasileiro disputar terreno com o Banco Central americano. O Federal Reserve está prestes a iniciar um ciclo de aperto há muito esperado. Em se pensando no equilíbrio relativo, para cada escalada marginal dos juros nos EUA, teríamos que multiplicar a Selic por aqui.

Com o nosso juro básico já no patamar de 11% ao ano, essa multiplicação produziria um ônus gigantesco. Não poderíamos simplesmente jogar a Selic para 20% ao ano em nome da defesa da moeda. É o câmbio que precisa fazer a maior parte desse ajuste, não a taxa de juros.

Além do uso da Selic, o Bacen brasileiro tem apelado para uma rotina pesada de intervenções no mercado futuro, por meio de posições vendidas em dólar. Essas intervenções são tão pesadas que já respondem por mais de 25% do total de reservas internacionais, sem sequer adentrarmos a crise.

Qual é a implicação disso?

Para usar uma analogia fácil de entender, é como se nosso Banco Central tivesse acabado de correr uma maratona. Ele está exausto, com as pernas bambas, louco para tomar uma água de coco e se deitar em uma rede. Porém, em cinco minutos, será dada a largada de um ultratriatlon cuja participação é obrigatória. Ele terá de nadar 3,86 km, pedalar 180 km e correr outros 42,2 km, sem pausa para descanso.

Se ele não aguentar mais esse esforço, o dólar ultrapassa a casa de R$ 2,50. Façam suas apostas.

Para sermos compreensivos na análise, esse Bacen exausto poderia ser salvo pelas contas externas. Todavia, elas mesmas carecem de socorro. Convergimos para um déficit em conta corrente da ordem de US$ 100 bilhões, com balança comercial praticamente zerada e investimento estrangeiro retraindo para algo em torno de US$ 50 bilhões. Já devíamos ter aprendido que esse é um pecado capital numa ocasião de iminente elevação dos juros nos EUA.

Desculpe-me se o conjunto da obra é demasiadamente trágico, mas não posso esperar outra coisa de 2015. Ouço gente torcendo para que a economia internacional melhore nos próximos meses, carregando consigo nossa república de bananas. Isso é ilusão, não vai acontecer. É fundamental que você não caia na tentação de achar que o pior já passou, ou de que seremos resgatados por um cavaleiro branco. A sustentabilidade de seu patrimônio depende de uma visão realista das coisas.

As estratégias que proponho para se esquivar de tudo o que está previsto em *O fim do Brasil* são moldadas conforme dois critérios. Primeiro, precisamos segurar o tranco, impedir a deterioração de nossa riqueza. Segundo, ponderamos os melhores modos de lucrar enquanto os ativos de risco perdem valor. Como ficará claro, todas as recomendações deste livro se amparam em ambos os objetivos.

Visando facilitar a aplicação das dicas pelo investidor pessoa física, tentei organizá-las segundo uma hierarquia que começa pelo mais simples e termina no mais complexo. No entanto, tomei o cuidado de garantir que mesmo as dicas simples, acessíveis ao grande público, fossem eficazes e completas em si mesmas.

Apresentarei um total de sete recomendações duras de matar. Obviamente, quanto mais dinheiro você tiver disponível para investir, mais meios terá de se proteger. Poderá, no limite, reproduzir todas as sete dicas com rigor. Porém, a materialização de apenas algumas das dicas já confere uma proteção substancial contra as mazelas do fim do Brasil.

Nas crises anteriores, talvez não lhe tenham dado uma chance de se proteger. Desta vez é diferente, a chance está ao seu alcance. Cabe apenas a você tomar a decisão. Agir agora e preservar seu patrimônio ou jogar para a torcida, na esperança de que as coisas melhorem.

De minha parte, continuarei alimentando uma esperança de melhora. Enquanto ela não vem, dormirei tranquilo. Os cabelos de minha cabeça estão todos contados, não posso colocá-los em risco de queda.

1. Comece pelo básico

Às vezes, as alternativas mais óbvias são também as mais indicadas. Isto mesmo: sua linha de frente enquanto investidor casca grossa deve estar apegada ao CDI, altamente correlacionada com as variações da taxa básica de juro.

Há diversas formas de se investir nesse clássico *benchmark* de renda fixa, todas elas bastante fáceis. Talvez a mais simples seja através de fundos referenciados em DI, disponíveis em qualquer banco sério e geralmente abertos para aplicações iniciais a partir de R$ 1 mil.

O que os gestores desses fundos fazem? Simplesmente pegam a grana dos cotistas e compram títulos públicos pós-fixados. Portanto, se você quiser pular essa intermediação passiva, economizando na taxa de administração, é só investir no Tesouro Direto.

Fundos DI remuneram com taxas que variam de 90% a 100% do CDI. Quanto mais dinheiro você aporta, maior a rentabilidade alcançada. Além disso, eles são altamente líquidos; mediante solicitação de resgate, o cotista normalmente recebe o dinheiro logo no dia seguinte (pode receber inclusive no próprio dia, em alguns casos). Essa pode ser uma grande vantagem em períodos críticos, combinando bom retorno com elevada liquidez, um privilégio raramente encontrado em outros países.

Caso você não dependa tanto assim de resgates, os papéis pós-fixados do Tesouro Direto tendem a ser uma ótima pedida. Eles atendem pela sigla de LFTs (Letras Financeiras do Tesouro), são indexados à Selic e oferecem vencimentos relativamente próximos, a partir de 2015. Convém escolher bem essa data de maturação, pois a dica só funciona de maneira segura para aqueles que carregam as LFTs até seu respectivo vencimento.

Sem provocar ciúmes, inveja ou demais intrigas, o melhor a fazer é deixar uma parte do dinheiro em fundos DI (imaginando eventuais necessidades de curtíssimo prazo) e outra parte em LFTs que maturem em 2017, por exemplo.

Uma alternativa cada vez mais popular reside nas LCIs (Letras de Crédito Imobiliário), nas LCAs (Letras de Crédito do Agronegócio) e afins, pois elas contam com isenção tributária e possuem lastro do Fundo Garantidor de Crédito para perdas de até R$ 250 mil. A despeito dessas vantagens, não gosto tanto dessas Letras. Elas carregam um risco de crédito oculto e bem maior que o dos títulos públicos. Em caso de calotes sistêmicos, o próprio lastro supracitado pode ser ameaçado, seja pela demora atribuída a fatores burocráticos, seja pela própria insolvência do sistema.

Outra alternativa bastante tentadora surge nos CDBs de bancos médios, que prometem aventuras acima dos 100% do CDI. Nem preciso dizer que o perfil de risco aí é proibitivo num cenário de baixo crescimento econômico e provável salto das métricas de inadimplência. Sigo uma filosofia simples de investimento: aposte centavos para ganhar dólares; nunca aposte dólares para ganhar centavos.

Começar pelo básico significa respeitar as virtudes do básico. As formas que superam a rentabilidade do CDI acabam impondo maiores perigos de maneira implícita. Não é hora de carregar perigos escondidos na carteira.

Sob a ótica macro, por que gostamos da indexação ao CDI e/ou à Selic?

À medida que as condições econômicas piorarem, o Banco Central será o primeiro a pagar o pato, pois as medidas de política monetária são implantadas mais rápido do que as fiscais.

Embora parte do mercado comece a especular sobre um eventual afrouxo monetário, achamos que a Selic a 11% a.a. não representa um teto sustentável. Se o Bacen vier a reduzi-la por teimosia própria ou por ordem do Governo, verá a inflação disparar e o real derreter, sendo obrigado a voltar atrás de modo muito mais custoso. Já se os formuladores de política monetária retomarem um pouco da sobriedade que lhes é característica, os juros seguirão sua trajetória ascendente depois desta pausa, e você pegará carona no incremento de cada ponto percentual.

2. Honre seu poder de compra

Graças ao sucesso do Plano Real, o brasileiro fez as pazes com a poupança, passando a acessá-la não apenas pela simplicidade do investimento (que é de fato um enorme mérito), mas também pela aparente proteção que ela ofereceria contra a inflação.

Infelizmente, porém, essa segunda qualidade não tem qualquer embasamento empírico, sobretudo quando defrontada com a considerável piora do controle de preços nos últimos anos. A poupança remunera entre 6% e 7% ao ano, a depender dos humores da taxa referencial. O IPCA (índice oficial de inflação) vem rodando em torno de 6,5% ao ano. Ou seja, na melhor das hipóteses, a poupança simplesmente repõe as perdas da inflação. Você coloca seu dinheiro na poupança e fica no zero a zero. Não é exatamente uma "alocação ótima" de recursos, percebe? Principalmente em um horizonte no qual o IPCA pode engordar ainda mais.

Tudo bem que a coisa é simples, qualquer pessoa sabe transferir o saldo que sobra da conta corrente para a conta poupança. Mas não adianta ser simples e empatar com a inflação.

Felizmente, existe uma alternativa quase tão simples e que dá um baile no IPCA. E o que é melhor: mesmo se a inflação crescer, continuará dando um baile.

Estou falando das NTN-Bs (Notas do Tesouro Nacional – Série B). A sigla é manjada no mercado financeiro, mas o grande público nunca ouviu falar. Precisamos remediar essa falta de informação, para o bem de nossos bolsos.

Assim como as LFTs, as NTN-Bs são títulos públicos acessíveis por meio do Tesouro Direto. Só que, em vez de serem indexadas à Selic, como as LFTs, elas acompanham de perto os movimentos do IPCA. Indo além, não só acompanham o IPCA como também oferecem um retorno que excede a inflação. Portanto, as NTN-Bs não se contentam em empatar o jogo.

Neste momento em que as condições econômicas para o fim do Brasil ganham corpo, as NTN-Bs estão pagando um prêmio bastante generoso, próximo a 6% ao ano. Veja bem: esses 6% são o bônus acima do IPCA, que já está automaticamente contemplado. Se o IPCA vier a saltar para 8% ao ano, você continuará recebendo 8% por tabela acrescido do prêmio, totalizando, grosso modo, 14% ao ano, por exemplo.

Esse prêmio só está generoso assim porque precifica um ambiente complicado à frente. Anos atrás, ele andava mais perto de 3% ao ano. Logo, é uma daquelas janelas de oportunidade para entrar agora e lá permanecer por algum tempo.

Quanto tempo? Acho que as NTN-Bs muito longas não têm remunerado adequadamente o risco do que pode ser este País em 2035. É um chute distante, repleto de incógnitas, sendo algumas delas perigosas. No entanto, as Notas com vencimento entre 2019 e 2024 me parecem bem atrativas, considerando os prêmios atuais. Para termos uma ideia da ordem de grandeza, no momento, pouco antes das eleições, uma NTN-B 2019 paga um excedente sobre o IPCA de cerca de 5,7%, enquanto a NTN-B 2035 oferece 6,0% – a diferença é pequena para tamanho intervalo temporal. Esclarecendo: a recomendação é sempre comprar pensando em carregar a posição até o vencimento.

O princípio geral das NTN-Bs é o de que você deve não só preservar seu poder de compra, mas também ganhar um prêmio sobre a inflação. Combinadas com as LFTs, elas proporcionam uma carteira de renda fixa simples e muito bem preparada para proteção e lucro em ambientes de crise.

Para investidores mais arrojados, também é possível substituir as Notas do Tesouro Nacional por papéis de dívida privada lastreados em índices de inflação e disponíveis ao investidor de varejo. Isso desde que, obviamente, a empresa emissora da dívida tenha um perfil de risco acima de qualquer suspeita. A Vale fez uma dessas emissões recentemente e outras companhias de gabarito podem vir a fazer; convém ficar atento.

3. *Let's speak English!*

Hoje, quando falamos em investir em dólares, a reação das pessoas é de estranheza, desconhecimento. O pequeno investidor já foi mais acostumado com esse tipo de alternativa que, devo frisar, é perfeitamente legal, mediante simples declaração à Receita Federal.

A forma mais trivial de se investir em divisas estrangeiras é comprando a moeda em casas de câmbio. O problema aqui é que você arcará com elevados custos de corretagem e enfrentará *spreads* dilatados entre o preço de compra e o preço de venda. Além disso, não é muito prático ou seguro ficar carregando e armazenando as verdinhas.

Mais adequado e fácil é comprar cotas de fundos cambiais. Praticamente todos os bancos administram pelo menos um fundo cambial, e os aportes mínimos para investir não costumam ser tão grandes. Com a partir de R$ 1 mil você já pode começar. Como os bancos não trabalham por filantropia, os cotistas de fundos cambiais precisam pagar uma taxa de administração (via de regra, de 1,5% a 2,5%). Mesmo assim, compensa pela praticidade.

Em adição, os fundos cambiais apresentam uma vantagem interessante em relação à posse de dinheiro vivo: neles, parte de sua grana normalmente fica aplicada em títulos do Governo americano. Atualmente, isso não faz tanta diferença, pois esses títulos são remunerados com taxas muito baixas, graças ao programa de estímulos monetários do Federal Reserve. Em breve, porém, esse cenário mudará radicalmente, conforme explicado em capítulos anteriores.

Embora não seja perfeitamente análogo, o investimento em ações de empresas dolarizadas também pode funcionar para pegar carona na esperada valorização do dólar em relação ao real. Refiro-me a companhias com plataformas exportadoras de sucesso ou com subsidiárias relevantes fora do Brasil. Embraer e Fibria talvez sejam os casos mais conhecidos dentre as *blue chips* da Bolsa brasileira. No universo de *midcaps* (empresas médias), Minerva e Valid nos parecem boas pedidas.

Ainda no ambiente de Bolsa, mas no nicho dos derivativos, existem os chamados minicontratos futuros de taxa de câmbio, ao tamanho padrão de US$ 10 mil. Como sua negociação envolve acompanhamento mais próximo e eventuais chamadas de margens, indicamos essa modalidade para as pessoas com mais experiência de mercado.

Notamos também uma curiosidade crescente do público investidor com a possibilidade de abrir uma conta bancária em território estrangeiro. É bem mais fácil do que parece, sobretudo porque bancos de investimento, corretoras e casas de *wealth management* prestam assessoria dedicada nesse sentido, incluindo aspectos burocráticos e tributários inerentes à tarefa. Todavia, por se tratar de uma operação que se compensa pela escala, recomendo esse tipo de decisão para aqueles dispostos a aportes mínimos de US$ 50 mil, e preferencialmente a partir de US$ 100 mil.

Dentre as vias dolarizadas desligadas de ativos financeiros, destacaria a prestação de serviços para estrangeiros e mesmo a oportunidade de se mudar temporariamente de país, trabalhando ou estudando além-fronteiras. São formas de gerar renda e acumular patrimônio em moeda forte por meio de atividades rotineiras. Muitas vezes, você acaba fazendo exatamente a mesma coisa que faria em terra *brasilis*, só que ganhando de cinco a dez vezes mais.

Caso opte por ponderar pela mudança de país, tente escapar de localidades famosas como Nova York, Londres ou Paris, até porque o custo de vida nessas cidades é elevado e o mercado de trabalho costuma ser bastante concorrido, mesmo para atribuições específicas. Como regra geral, é difícil encontrar regiões atraentes que combinem tanto um custo de vida baixo quanto a forte demanda por mão de obra. Contudo, se uma dessas condições for bem satisfeita, normalmente já basta. Austrália e Canadá provêm alguns exemplos genéricos de cidades cujo custo de vida é relativamente salgado, mas onde existe também uma séria escassez de trabalhadores, que induz salários recompensantes. Lembre-se que, em tese, você possui algum controle sobre o quanto vai gastar no dia a dia, mas não consegue definir seu próprio salário (a menos que seja um parlamentar "trabalhando" em Brasília).

4. *Hard assets*

Aproveite a ideia de ganhar em dólares para aprender uma nova expressão em inglês. Nova porque talvez você nunca tenha ouvido falar dela, mas, na verdade, os chamados *hard assets* são uma categoria clássica de investimentos bastante associada à montagem de carteiras com perfil resiliente.

Quando falamos de *hard assets*, estamos nos referindo de modo geral a ativos tangíveis, cujo valor de uso possa ser facilmente identificado e correlacionado com um valor justo de mercado. Historicamente seguros, seu grau de virtualismo é quase nulo, extremo oposto das modernas *bitcoins*. Assim, faça chuva ou faça sol, lá estão esses fiéis companheiros, tomando conta do seu patrimônio a longo prazo, protegendo seu poder de compra contra a inflação, de maneira sólida e segura.

O grande ícone da família é o ouro, imediatamente acompanhado por outros metais de alto valor estético e industrial, como a prata, a platina, o cobre, o ferro e o níquel. Na mesma linha, podemos citar recursos naturais como o petróleo.

No entanto, é importante fazer uma subdistinção aqui. O ouro e a prata são os *hard assets* eminentemente defensivos, enquanto demais *commodities* minerais e energéticas são mais sujeitas aos grandes ciclos do mercado mundial. Se você quer segurar mesmo a bronca, fique com o ouro, que, assim como o dólar, pode ser adquirido tanto sob forma física (bruta ou lapidada) quanto por meio de contratos financeiros de larga escala, cujo objeto de negociação é o ouro fino sob a forma de lingote.

Uma dúvida comum quando falamos de *hard assets* decorre da associação que os investidores brasileiros fazem com ações da Vale ou da Petrobras. Ambas as empresas baseiam seus núcleos de negócio na extração de recursos naturais como o minério de ferro e o petróleo. No entanto, cabe lembrar que tais *commodities* são sensíveis aos ciclos e anticiclos da economia global e, além disso, a dinâmica de ações em cenários de crise nunca será tão blindada quanto o estoicismo do ouro e da prata, por exemplo.

Feita essa explanação, sinto-me confortável para opinar que as ações da Vale conseguem se aproximar até certo ponto da figura de *hard asset*, pois a companhia gera toneladas de caixa (lucro) para seus acionistas mesmo em contextos de mercado relativamente ruins e o faz sendo beneficiada por exportações de minério de ferro denominadas em moeda forte. Já no caso de Petrobras, essa analogia não pode ser feita nem de brincadeira. Seguindo um modelo engessado, a Petro hoje, demasiadamente estatal (ou partidária), precisa dedicar uma porção majoritária de seu fluxo de caixa para pagar dívidas e, de quebra, é diretamente afetada pela valorização do dólar, pois subsidia o preço do combustível doméstico.

Não poderia deixar de citar os imóveis como representantes tradicionais do conjunto de *hard assets*; e, em especial, as terras para uso agrícola. *Commodities* agrícolas não são por si só enquadradas nesse rótulo, dado seu alto grau de perecibilidade.

Mas as terras que produzem essas *commodities* o fazem de maneira recorrente, ficando à mercê tanto da valorização imobiliária quanto da geração de renda através das safras.

Donos de propriedades agrícolas no Brasil capazes de autofinanciarem suas colheitas, com boa infraestrutura de armazenamento e logística apropriada estão sentados em cima de *hard assets* absolutamente invejáveis (e digo isso respeitando critérios globais). A coisa se torna ainda melhor se os gêneros produzidos forem associados a usos triviais incluindo alimentos básicos, fumo ou papel e celulose, para citar alguns exemplos.

5. Quebrando a banca

O senso comum nos impele a pensar nos lucros em renda variável condicionados ao fato de que a conjuntura econômica vai bem. No entanto, embora seja verdade em certo grau, não é essa sua principal virtude.

A Bolsa brasileira, em que se pese seu processo de maturidade, proporciona também variados meios de se proteger e mesmo de multiplicar seus investimentos em uma crise. Principalmente quando falamos dos mercados de opções e de aluguel de ações.

À primeira vista, você pode se assustar quando ouve falar de opções de venda e de aluguel, pois soam como expressões relegadas aos investidores profissionais, aos "tubarões" do mercado. Isso não é verdade, trata-se de um bloqueio muito mais psicológico do que concreto.

Para operar com opções e aluguel, você não precisa sequer de muito dinheiro. Dá para montar estratégias de seguro inteligentes investindo a partir de R$ 200 na compra de opções de venda, por exemplo. Seu risco de perda fica limitado a esses R$ 200 enquanto seu ganho pode ser bastante significativo caso o ativo no qual você apostou perca valor. Conheço pessoas que ficaram ricas fazendo isso na crise financeira de 2008, quando o Ibovespa desceu vertiginosamente até os 29 mil pontos.

Obviamente, não é o caso de sair por aí como louco, se achando o guru das opções de venda e aluguel de ações. Todos precisamos de algumas lições técnicas antes de começar. A parte boa é que, se você não for preguiçoso, conseguirá assimilar 100%

dessas lições usando simplesmente raciocínio lógico e matemática do ensino fundamental.

Desculpe-me o anglicismo, mas uma das formas de atuar na ponta vendedora é *shorteando* um determinado papel. Por mero exercício didático (será?), vamos supor que esse papel é PETR4 (Petrobras PN). O que você faz então? Peça para seu operador tomar aluguel de ações da Petrobras e, em seguida, venda as respectivas ações no mercado e, em seguida ficando com o valor da operação. Mediante a queda de PETR4, você poderá recomprar as ações e, simplesmente, devolvê-las a quem lhe concedeu o aluguel. Naturalmente, a diferença entre o dinheiro da venda original e da recompra subsequente fica no seu bolso.

É claro que esse é um *trade* que carrega riscos: se o papel por acaso subir, vai ficar mais caro devolvê-lo ao dono. Por isso, recomendamos sempre trabalhar com um limite automático de eventual prejuízo.

De fato, esse limite automático pode ser facilmente estabelecido a priori através do investimento em opções de venda, as chamadas *puts*. O investidor que opera comprado em *puts* nunca perde mais que o dinheiro alocado na própria compra das *puts*. Por outro lado, ele pode ter ganhos gigantescos se a *put* vier a se valorizar. O que faz uma *put* se valorizar? Justamente o declínio da ação que está por trás da opção de venda.

Antes que alguém caia em confusões éticas, é importante deixar claro: operar vendido em Bolsa não é coisa de mafioso, de bandido e muito menos de olho gordo. Ao contrário, a prática dos *shorteadores* é verdadeiramente nobre. São eles que, buscando ganhos próprios, conseguem testar exageros de precificação no mercado, esvaziando bolhas antes que elas venham a estourar. Eles também ajudam na liquidez do mercado.

Na maioria das vezes, investidores que operam shorteados estão olhando através da maquiagem que embeleza uma dada empresa ou um dado país. Sem cair em canto de sereia, eles pregam a tese de que se paga muito por poucos resultados, sejam eles corporativos ou macroeconômicos.

Na crise americana de 2008, aqueles poucos caras que tiveram a coragem de ir contra a euforia imobiliária revelaram os riscos escondidos do subprime e, merecidamente, ganharam muito dinheiro com isso.

Mesmo que em outras searas, e em outras proporções, algo parecido pode acontecer no Brasil de 2014 e 2015. Se todos nós ficarmos assistindo à crise sem mover uma palha, perderemos um patrimônio precioso para nós mesmos e, em maior instância, para toda a economia nacional.

Pense comigo: se você compra uma ação por R$ 20 e ela cai para R$ 10, esses R$ 10 estão perdidos. Se a ação vier a se recuperar depois, ótimo! Mas não muda o fato de que aqueles R$ 10 foram perdidos em um dado momento da história. Já se você tem disposição e habilidade de operar vendido nessa mesma ação, ao menos parte dos R$ 10 da queda pode ser recuperada mediante lucros para o seu bolso.

Vários investidores institucionais já estão fazendo isso para se proteger, você deve fazer também.

6. Esteja atento: imóveis

Durante a adolescência, sempre que ouvia o *hit* musical (pelo menos na minha época) *Every breath you take,* do The Police, achava que o Sting era um cara doentio, que ficava vigiando compulsivamente o interlocutor da música. Aquilo não podia ser amor de verdade. Depois, acabei descobrindo que tinha gente que ficava rica com esse tipo de comportamento, e eu mesmo passei a adotar a estratégia *I'll be watching you*, especialmente em episódios críticos.

A primeira reação do investidor comum diante das grandes crises é, indubitavelmente, negativa, por um motivo muito simples: ele vê seu saldo investido derreter dia a dia, por não saber como se proteger. É preciso muito sangue frio para vivenciar a evaporação do patrimônio construído ao longo de uma vida sem entrar em pânico.

Pelo menos essa ameaça já foi sanada, por meio das cinco indicações anteriores. Você conseguirá evitar o pânico, pois não será exposto à tortura de um patrimônio decrescente. Ao contrário disso, vários dos ativos recomendados até aqui têm plena capacidade de valorização em meio à tormenta. É muito mais fácil manter a lucidez quando se está devidamente preparado para o pior.

E em geral, quem é lúcido quando os outros estão em pânico reúne maiores chances de caçar as verdadeiras oportunidades de enriquecimento, mesmo em uma crise. Isso porque até mesmo ativos altamente cíclicos uma hora encontram seu piso, e depois disso começam a lucrativa jornada de recuperação.

Seria muito esperar que acertássemos o exato ponto de inflexão a partir do qual a virada se materializa, mas não precisamos disso. Como diria o megainvestidor Warren Buffett, precisamos apenas saber quando um alvo específico se encontra suficientemente barato.

Da mesma forma que temos a impressão de que determinado ativo se tornou caro no momento, podemos afirmá-lo barato posteriormente. O mundo econômico dá voltas. E, no caso do fim do Brasil, uma dessas voltas pode ser experimentada pelo mercado imobiliário.

Note que não falo aqui de bolha imobiliária, aliás, uma expressão originalmente de alto rigor técnico, mas que foi banalizada pelo uso inconsequente. Falo, isso sim, da possibilidade de desvalorização dos imóveis associada à retração da atividade, elevação dos juros, queda do nível de emprego, aumento de distratos, de inadimplência e dos índices de vacância.

Ao contrário de outras consequências do fim do Brasil, não estou absolutamente convencido de que isso vai acontecer. Porém, desconfio que sim, mas de forma muito gradual. Pelas dificuldades regionais de se analisar o setor, não posso definir se será um movimento generalizado ou restrito a localidades específicas. Em ambos os casos, porém, entendo que as principais capitais do País são candidatas óbvias a enfrentar algum tipo de problema com o mercado imobiliário.

Os primeiros sinais de arrefecimento já começam a aparecer em 2014, por meio da queda dos lançamentos e das vendas. Contudo, são sinais ainda nublados pelas desculpas de um ano de Copa e de eleições. Como termômetro pragmático, as ações de incorporadoras vêm despencando, o que não quer dizer que não possam cair mais. O *boom* de financiamentos imobiliários também parece ter ficado para trás.

Estudo o setor imobiliário há muito tempo, praticamente desde que comecei minha carreira como analista. No entanto, à luz do fim do Brasil, declaro-me tomado pela incógnita, e com um viés pessimista. Por isso, recomendo que você tire aquele seu toca-fitas empoeirado do fundo do armário e coloque o Sting pra tocar. Torne-se um vigilante dos preços dos imóveis neste fim de ano e, sobretudo, ao longo de 2015.

A ideia não tem mistério algum. Vamos aproveitar eventuais oportunidades de queda substancial do preço dos imóveis para engordar nosso portfólio imobiliário pagando barato pelo que é excepcional como investimento de longo prazo. Sim, no longo prazo é praticamente impossível perder dinheiro com imóveis. Mas não estamos falando apenas de não perder grana. Estamos falando de enriquecer verdadeiramente. E, para isso, precisamos comprar barato. Vamos monitorando a cada respiro.

7. Esteja atento: ações

Quando disse que conheci gente que ficou rica apostando contra a Bolsa em 2008, contei apenas metade da história. Alguns desses investidores ficaram riquíssimos, comprando ações no início de 2009 a preço de banana. Ou, para qualificar com mais propriedade, comprando ações de empresas formidáveis a preço de banana.

Para ser justo com a história, digo que até um macaco ficaria rico comprando ações no início de 2009 - ano no qual o Ibovespa subiu 82,66% em reais e 145,16% em dólares. Mas, obviamente, se você tem a chance de manter seus atributos racionais de *homo sapiens* e comprar AmBev a um quinto do valor atual, melhor ainda.

Será que teremos nova oportunidade de aproveitar essas barganhas?

Neste momento, às vésperas das eleições, a Bolsa brasileira não me parece nem tão cara, nem tão barata. Seu comportamento em 2014 responde ao embate eleitoral, cujas apostas ficam divididas entre o segundo mandato de Dilma e a vitória da oposição. O mercado precifica parcialmente um contexto bem melhor caso um dos adversários seja eleito. Ao mesmo tempo, parte dos investidores começa a montar suas defesas para a eventualidade de reeleição.

A essa altura, não há como saber quem vencerá o pleito, deixemos essa tarefa aos estatísticos e aos cientistas políticos. No entanto, já podemos deduzir as prováveis consequências de mais quatro anos de Dilma. Elas sugerem não só uma devolução dos ganhos obtidos pelo Ibovespa, nos últimos meses, como também o mergulho em perdas adicionais.

O fim do Brasil é um argumento de inércia. Se as variáveis macroeconômicas seguirem seu curso corrente, convergiremos para a estagflação. Esse é nosso cenário base. Um de seus corolários indica desvalorização da Bolsa brasileira.

De novo: não estou absolutamente convencido de que isso vai acontecer. Mas o tamanho e o impacto dessa possibilidade me obrigam a ficar alerta, pronto para sair da toca em busca de ações descontadas. Sugiro que você assuma essa mesma postura. Com o derretimento da Bolsa, surgirão algumas dessas chances raras de comprar *blue chips* com grande capacidade de performar positivamente e sobreviver em momentos difíceis.

Como inspiração, o gráfico a seguir retrata a trajetória das ações da Ambev na última década. Você não precisa ser um PhD em Finanças para interpretá-lo. Ele começa em alta, tropeça e depois volta a subir. Está vendo o círculo abaixo? Isso é o efeito da crise de 2008. Se ocorrer algo parecido num futuro próximo, creio que as forças de recuperação serão comparáveis às que se manifestaram de 2009 em diante. Em termos práticos, isso significa uma possibilidade de lucro gigantesco.

Veja bem, não acredito na capacidade de prever o que vai acontecer com o mercado de ações. Essa pretensa habilidade preditiva normalmente está ligada a discursos de charlatanice. O que estou preconizando aqui é outra coisa: falo de uma opcionalidade, de um cenário possível mediante a extrapolação das premissas de *O fim do Brasil*. Peço que você esteja atento a esse cenário nos próximos meses, para o bem de seu próprio bolso.

8. Você já está preparado

Caso não tenha notado, minha principal recomendação para o seu patrimônio foi dada logo no primeiro capítulo do livro, quando introduzi a gravidade das preocupações com a economia brasileira. Ao nos defrontarmos com esse tipo de ameaça, sem eufemismos e sem torcida platônica, nosso corpo financeiro cria automaticamente agentes de defesa baseados nos antígenos de *O fim do Brasil*.

O grosso dos prejuízos amargados nas crises vem não apenas de investimentos mal conduzidos, mas principalmente de decisões equivocadas dentro daquilo que chamamos de economia real. Falo aqui da jovem recém-formada que, por puro desconhecimento, decide abrir uma franquia de açaí logo antes de entrarmos numa recessão. Ou do aposentado que, descuidando-se da simplicidade, resolve usar a poupança para comprar um carrão importado para cada um dos três filhos.

Quem sabe que a conjuntura pode piorar muito mais, evita abusos orçamentários.

Não estou dizendo aqui para você desistir da franquia de açaí ou do carrão importado. Não há mal algum em investir num negócio próprio ou trocar seu automóvel antigo por um melhor; na verdade, são coisas como essas que fazem a economia progredir. Sugiro apenas aguardar o momento mais favorável, no qual acredito por força da dialética saudável entre a democracia e o mercado. Se voltarmos aos eixos macroeconômicos, o fim do Brasil também terá um fim.

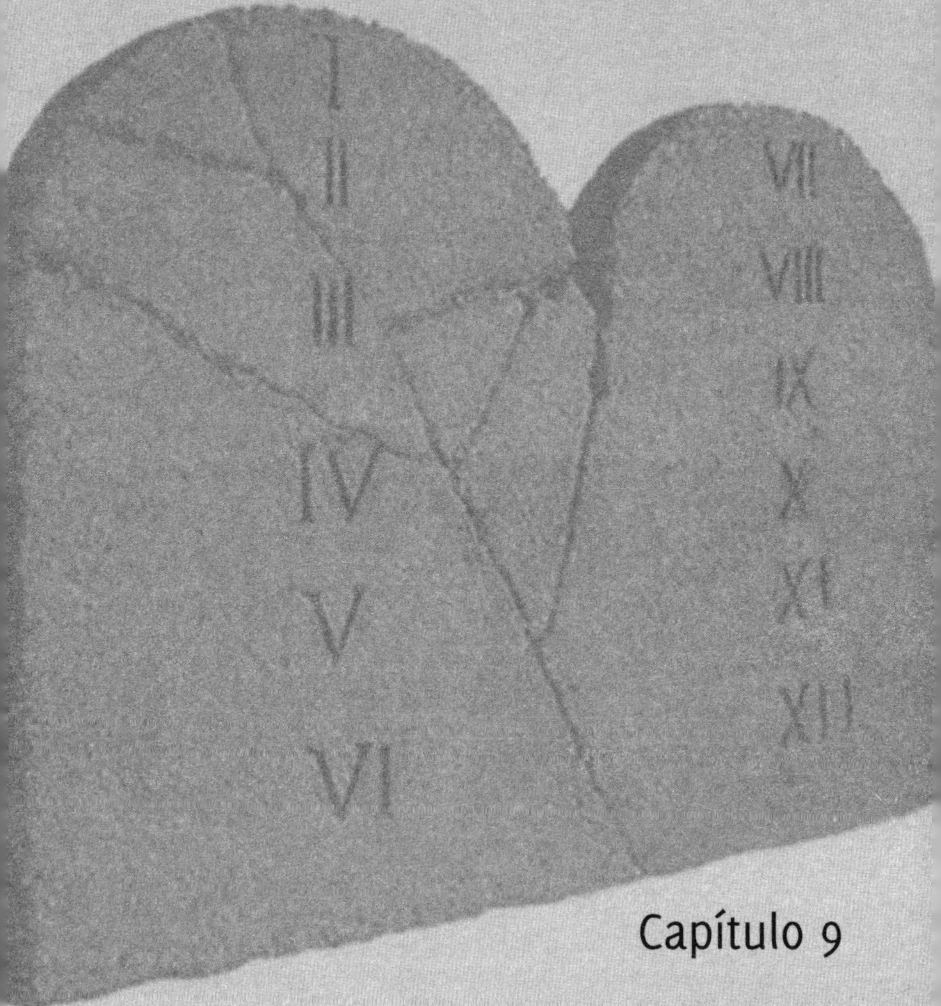

Capítulo 9

Como solucionar a estagflação?

Quando publiquei a versão preliminar de minha tese *O fim do Brasil* na internet, a repercussão foi enorme. Era ainda um esboço deste livro, mas já suficiente para despertar tentativas de censura e reações acaloradas. Pelos críticos mais polidos, fui acusado de pessimista, terrorista, egoísta e tantos outros "istas". Um deles me chamou até mesmo de capitalista (pensei que isso estava fora de moda).

Quem me conhece sabe que vivo dando risada, mesmo das piadas mais bestas. Quando era adolescente, curtia comprar camiseta na Casa da Rússia, Vila Madalena. E não há a menor chance de eu me mudar para Miami.

Só para o caso de alguém ainda não ter notado, *O fim do Brasil* é um argumento crítico em prol de uma proposta verdadeiramente construtiva.

Minha principal intenção com estas páginas é a de estimular um *brainstorming* plural para que possamos superar, o mais rápido possível, as restrições econômicas que nos cercam.

Em 18 de agosto de 2014, a Empiricus organizou um debate inteligentíssimo entre três expoentes do pensamento econômico a serviço do Recomeço do Brasil: Eduardo Giannetti, Mansueto de Almeida e Marcos Lisboa. Várias das ideias ali discutidas chegaram aos principais jornais do País e, portanto, ao escrutínio da população. Contenta-me perceber que a Economia, antes um tema tão rechaçado, hoje atrai a atenção de vários públicos, inclusive dos otimistas, pacifistas e altruístas. Estamos demolindo uma torre de marfim.

Minha mãe me falava o seguinte quando íamos à praia: sempre que for demolir um castelo, construa outro melhor no lugar. De nada adiantam as críticas, se dissociadas de proposições. Mãos à obra, portanto.

Neste último capítulo, apresento minhas ideias para solucionar o problema da estagflação e, mais importante, para redirecionar a economia a uma rota de crescimento com controle de preços e maior produtividade. Sei que existem sérios obstáculos políticos à concretização dessas propostas, mas a vida me ensinou a não aceitar isso como desculpa. Também não admito atribuir nossos próprios erros à conjuntura internacional.

Ao todo, são doze recomendações de política econômica, aquelas que julgo essenciais. Começo por quatro pontos que podem ser implementados em curto prazo, ainda durante o ano de 2015, e com efeitos salutares que tendem a ser imediatos. Em seguida, quatro tópicos para 2016, que levam um pouco mais de tempo, por exigirem certo desarraigar dos vícios atuais. E, por fim, quatro medidas de cunho estrutural a serem efetivadas em 2017 e 2018, que catalisam as reformas institucional, tributária, trabalhista e política, com foco na agenda micro e regulatória.

Se a vida quer da gente prioridades, considero as quatro primeiras diretrizes como condições absolutamente necessárias para sanarmos a estagflação. Já as outras oito nos permitirão crescer sustentavelmente a uma taxa média de 4% ao ano, com 3% a 4% de inflação, em linha com os melhores preceitos para mercados emergentes. Hoje o Brasil está perdendo feio para o ganho de produtividade de pares como Coreia do Sul, Chile, México e China. Precisamos recuperar o tempo perdido.

1. Ajuste dos juros

O Copom deveria dar sequência ao ciclo de aperto monetário iniciado em abril de 2013, por meio de novos incrementos na taxa de juros de curto prazo. Não acho que seja necessário um ajuste drástico da Selic, nem que ele deva ser mantido por muito tempo.

Como indicativo, colocar a taxa de juros entre 12% e 13% a.a. por cerca de seis meses agilizaria o processo de convergência do IPCA para o centro da meta de inflação. Eu sei que esse aumento dos juros é custoso, mas se trata de um custo pontual. Os distúrbios causados pela inflação são bem maiores e acabam se prolongando por vários anos.

Ademais, o Governo precisa compreender que a relação entre juros e inflação é intertemporal (presumo que o corpo executivo do Banco Central já saiba disso). Quanto mais você usa a Selic a curto prazo, menor o sacrifício a longo prazo, pois você reduz a banda inflacionária e reforça a credibilidade do próprio regime de metas.

Num contraexemplo, agora mesmo estamos ainda pagando a conta pelo juro básico de apenas 7,25% a.a, mantido artificialmente entre outubro de 2012 e abril de 2013, e que constitui um dos maiores erros da história moderna do Banco Central. Se não tivéssemos sido tão lenientes lá atrás, não precisaríamos pegar pesado em 2015. De qualquer forma, a hora é de evitar futuros erros, não de lamentar o passado.

Em paralelo ao próprio controle da inflação, a escalada rápida da Selic seria muito útil para recuperar a reputação do Banco Central, que anda em baixa. A análise empírica mostra que, quanto melhor a imagem de um BC, menos esforços ele precisa fazer para estabilizar a inflação. Não é só uma questão de etiqueta, obviamente.

O efeito colateral da alta nos juros costuma se espelhar na retração da atividade econômica. Por vezes, temos que dar um passo atrás em troca de dois à frente. De todo modo, vale lembrar que o "pibinho" atual está muito mais ligado ao colapso da confiança na economia do que propriamente aos custos de oportunidade do capital. Em uma situação extrema como essa, o aumento da Selic pode inclusive induzir o retorno do crescimento.

2. Soltar o câmbio

Chega de brincadeiras perigosas com a política cambial. Não há níveis seguros para o consumo de substâncias intervencionistas.

Uma das grandes lições da teoria econômica é a de que os formuladores de política tentam reparar seus erros em uma determinada área buscando compensações em áreas vizinhas, e assim só conseguem gerar múltiplos equívocos.

Como parte da nova matriz, o Bacen do Governo Dilma resolveu poupar as responsabilidades da Selic e usar o câmbio como instrumento de ajuste fino de controle inflacionário. Só que o ajuste fino rapidamente virou um grosso ajuste.

Além de não ser sustentável, esse tipo de intervenção gera enormes distorções, pois o câmbio funciona como o preço da economia de todo um país. Se não há como agradar a todos (frequentemente não há), deixe o mercado fazer o trabalho. Um câmbio de mercado certamente não teria destruído a indústria nacional nos últimos anos.

Devemos voltar o mais rápido possível para o regime de câmbio flexível, deixando que a troca de moedas flutue ao sabor da diferença entre juros interno e externo, do risco-País e do resultado das contas externas. Isso fará com que o brasileiro tenha a exata noção do quanto vale o real, segundo parâmetros externos, e dará também mais confiança para que o investidor estrangeiro traga dinheiro para cá.

Atualmente, vivemos um desequilíbrio bastante irônico. O Banco Central tenta controlar a volatilidade do câmbio num intervalo compacto, vendendo dólares no mercado futuro, sempre que o dólar ameaça se valorizar contra o real. Trata-se de uma estabilidade ilusória e passível de grande choque. A tentativa de suprimir a volatilidade cambial no curto prazo leva a uma explosão dessa mesma volatilidade em longo prazo.

De onde eu tirei essa ideia? De uma lógica muito simples, ligada a quantos dólares o Brasil guardou embaixo do colchão. A venda sistemática de dólares acaba onerando nossas reservas internacionais, e existe um limite para tanto. Mantido o ritmo atual, as intervenções do BC devem responder por algo em torno de um terço das reservas, patamar considerado alarmante. Não dá pra fazer isso por muito mais tempo, especialmente com o Federal Reserve logo ali, na esquina.

Restaurar a confiança em uma moeda não é forçar sua valorização. Ou retomamos o câmbio flexível de forma voluntária, ou o mercado tratará de fazer isso de maneira muito mais dolorosa. No primeiro caso, reequilibraremos a conta corrente, atrairemos investimento estrangeiro direto e daremos um choque de realidade no consumo excessivo. No segundo caso, queimaremos dólares inutilmente tentando nos defender do fogo amigo.

3. Fechar a boca do Estado

Aprendemos desde o colégio que o tamanho do Estado na economia brasileira é gigantesco, a ponto de ter atingido uma zona de saturação. Qualquer tentativa de tornar essa participação estatal ainda maior gera mazelas gravíssimas, pois inibe o crescimento, faz disparar a inflação e encarece o crédito.

A primeira coisa a fazer é sair o quanto antes dessa zona extremamente delicada. Antes das discussões qualitativas sobre um governo indutor de investimentos, promotor de políticas públicas ou orgulhoso de suas estatais, precisamos de um choque quantitativo, que torne o Estado imediatamente menor e mais eficiente. Normalmente, essas coisas andam juntas: é mais fácil imprimir eficiência a estruturas enxutas (na dúvida, perguntem ao Jorge Paulo Lemann).

Não dá para o custeio do governo continuar crescendo acima do PIB. Não dá para prometerem um superávit primário já pequeno e, na hora da entrega, fazerem contabilidade criativa para esconder números ainda menores. As metas fiscais têm que ser nítidas e cumpridas rigorosamente.

Eu nem deveria estar falando disso, mas ameaças recentes me obrigam a reiterar respeito máximo à Lei de Responsabilidade Fiscal, que é uma das poucas regras disciplinadoras que funcionam dentro da máquina pública. Qualquer mudança retroativa do indexador da dívida dos estados e municípios seria absolutamente trágica.

O Estado brasileiro ainda precisa entender que o genuíno crescimento de um país é puxado pelo setor privado e não por decisões arquitetadas no Planalto Central. Até na China já perceberam isso.

Ninguém mais aceita aumento da carga tributária por aqui, não é uma opção. Reduzir a carga tributária também não é opção, é obrigação de quem queira conquistar prosperidade econômica e angariar votos.

4. Jogar conversa dentro

Quem não se comunica se estrumbica, já dizia o "filósofo" Chacrinha. Pelo visto, Dilma não assistia a seus programas televisivos nas tardes de sábado.

Formuladores de política econômica não estão lá só para formular, mas também para ouvir as demandas da sociedade, bater papo, negociar, fazer política. Não dá para governar sem diálogo. FHC e Lula tocavam essas conversas com maestria, e por isso as coisas fluíam.

Um governante apto também precisa contratar pessoas de confiança, reforçar as instituições à sua volta e delegar tarefas. O desejo de controle leva ao descontrole, pois não há como estar a par de tudo o que acontece.

Diálogo vem casado com descentralização. Hoje temos 39 ministérios mas, na prática, nenhum, pois todas as decisões ficam centralizadas na Dilma. Mantega só ficou como ministro da Fazenda por tanto tempo por que ela não quer sombra. Nelson Barbosa era astuto demais para o cargo.

Um presidente não pode querer corrigir vírgulas em projeto da Finep, isso é impraticável. Sob rédeas muito firmes, o cavalo não anda.

5. US$ por litro na bomba

O tanque está vazio, já passou da hora de dar um fim no controle arbitrário de preços da gasolina e dos demais derivados do petróleo. Domada a inflação como fenômeno geral, ficamos confortáveis para alinhar os combustíveis vendidos no Brasil ao *benchmark* internacional.

Assim como ocorre com qualquer subsídio, pode até doer no momento da retirada, mas em pouco tempo esse equilíbrio de preços passará a ser encarado com naturalidade. Afinal, ele é mesmo natural: como *commodities* internacionais, os derivados do petróleo devem ser apreçados segundo critérios igualmente globais.

Quem defende subsídios governamentais desse tipo acha que eles reduzem custos sociais e ajudam a mitigar a inflação. Isso é um erro tremendo de interpretação. O subsídio não surge do nada, alguém está pagando por ele. Os acionistas da Petrobras certamente estão pagando essa conta. E nós todos, como contribuintes, estamos pagando indiretamente também.

Em adição, o mecanismo de precificação de combustíveis, tal como conduzido, hoje determina ajustes anuais cuja intensidade e *timing* são desconhecidos. É muito mais saudável você ver os preços corrigidos diariamente na tela de um computador, com acesso amplo e direto à informação, do que ficar esperando por um choque em data imprevisível.

Enfim, esse é um daqueles típicos casos em que o governo acha que está protegendo a sociedade da variação "maluca" dos preços de mercado, mas na verdade só está produzindo um lunatismo infinitas vezes maior e cujos efeitos lhe passam despercebidos.

Não deveriam, porém, pois esses efeitos acabam se alastrando pela cadeia produtiva, já que combustíveis são direta ou indiretamente demandados por praticamente todos os setores da economia.

Só para citar um exemplo do macro que virou micro, a política de controle de preços fomenta o uso inescrupuloso de carros e, por conseguinte, compromete o transporte público. Quanto mais cara a gasolina, mais vantajosa se torna a migração para meios coletivos de locomoção. Você não imaginava isso, mas a mesma doença que destrói a Petrobras também atrapalha sua jornada diária ao trabalho.

Em outra extensão do mesmo problema, a gasolina subsidiada enche as estradas de caminhões, encarecendo o custo do frete e sobrecarregando a infraestrutura rodoviária. É um desincentivo ao desenvolvimento de ferrovias e serviços de cabotagem, que seriam muito mais eficientes num mundo de briga justa entre os diferentes modais de transporte (que é o mundo europeu e americano, por exemplo).

Se quisermos enxergar com lupa o que estamos fazendo, basta traçar paralelos entre um país que subsidia agressivamente a gasolina (Venezuela) e outro que trata seu uso da forma como deve ser tratado um combustível fóssil (Holanda). Você vai entender por que os holandeses andam de bicicleta, enquanto em Caracas os carros se encaixam como pecinhas espremidas de Tetris.

Daí também vem um dos motivos para a indústria do etanol se posicionar contra o Governo Dilma nas eleições de 2014. A gasolina barata simplesmente detonou o enorme investimento que o País havia feito no uso do etanol. Passamos a fabricar motores flex em escala, propagandeamos o etanol como combustível sustentável, chave para dependermos menos de importações... e tudo isso para quê? Há quanto tempo você não enche o tanque do seu carro com álcool?

Não estou sequer defendendo o etanol, talvez nem valha a pena. Mas para dizer se vale ou não a pena, precisamos deixá-lo competir com a gasolina em condições equânimes.

A gasolina é fruto de um combustível fóssil, não renovável e que fica a quilômetros de distância abaixo da superfície. Uma coisa assim não pode ser barata.

Experimentamos um governo cujas decisões econômicas transformam assistencialismos em privilégios. Parece que ele está querendo ajudar deixando a gasolina mais em conta, mas só está atrapalhando tudo. O conforto é nosso maior desconforto.

6. Infraestrutura sem vírgulas

Quando citei a obsessão da presidente por corrigir vírgulas, não estava empregando métafora, e muito menos cometendo uma hipérbole. Isso realmente acontece por lá, tem a ver com o famigerado desejo de controle. Mesmo quando o governo se diz aberto às intenções do setor privado, na verdade, não quer outra coisa senão controlá-las nos mínimos detalhes.

Por isso as concessões de rodovias, ferrovias e portos demoram tanto a sair do papel, e várias delas foram consideradas um verdadeiro fiasco. Havia regras demais para concessões de menos; o número de equações era superior ao número de incógnitas, tornando o sistema sobredeterminado.

Imagine um casal que entra no seguinte acordo: a mulher é responsável por cozinhar e o homem por lavar a louça. Na primeira noite, ambos estão empolgados com o pacto. Logo após o jantar, o maridão abre o botão da calça e senta no sofá para assistir ao novo episódio de *Game of Thrones*. A esposa não acredita no que vê, fica indignada: ei, você não vai lavar a louça?

Ele tenta explicar que vai, sim, lavar cada uma das peças de louça, com total dedicação, assim que assistir a sua série favorita. Não cola. Ela quer que ele lave a louça naquele exato instante. Contrariado, ele começa a lavar, com pressa, para conseguir pegar pelo menos a parte do *Game of Thrones* após o intervalo. A esposa não deixa barato: por que está lavando com pressa?

Ciente do impasse, ela pega papel e caneta e começa a anotar vários tópicos. Fica mais ou menos assim:

- Lavar a louça logo após o término do jantar.
- Começar pelos copos, ir para os talheres, depois pratos e por fim panelas.
- Colocar três pingos de detergente na bucha a cada seis peças lavadas.
- Esfregar a superfície dos copos três vezes, quatro vezes para os talheres, cinco vezes para os pratos e oito para as panelas.
- Respeitar a organização do escorredor de forma a colocar peças grossas abaixo e peças finas em cima.

Isso nunca vai funcionar, percebe? Se o cara pudesse lavar a louça numa boa, depois de assistir TV, provavelmente faria um ótimo trabalho. Desse jeito, porém, ele prefere comer miojo para sempre. Não tem pacto que aguente.

Por essas e outras, o presidente da CSN Benjamin Steinbruch resumiu recentemente o sentimento dos empresários: "Só louco investe no Brasil".

O espírito controlador do Governo (exato oposto do espírito animal que caracteriza o empresariado) tentou montar leilões de concessão capazes de controlar a qualidade e a taxa de retorno de forma concomitante. Isso é absolutamente impossível. Ou você exige um serviço de dada qualidade e deixa os *players* interessados brigarem pelo retorno, ou você fixa uma taxa de retorno e deixa os *players* brigarem pela qualidade. Não dá para abraçar o mundo.

As concessões são urgentes, isso é unanimidade dentro e fora do Governo. Para essa urgência ser de fato satisfeita, temos que desengessar os leilões, definir regras pró-mercado.

A biblioteca de estudos sobre como desenhar leilões (chamado tecnicamente de "*design* de mecanismos") caracteriza um dos raros segmentos da teoria econômica que podem ser considerados maduros e eficientes. Então, vamos aproveitar o que já funciona no mundo todo!

Não dá mais para ficar criando consórcios disfarçados de iniciativa privada, que só são viabilizados devido à participação majoritária de bancos públicos e estatais. Ou você deixa o setor privado lavar a louça numa boa, ou continuaremos comendo miojo todo santo dia.

7. As campeãs do tapetão

Em algum momento dos últimos anos, sob forte viés ideológico do Governo e apoio prático do BNDES, criou-se no Brasil a noção das "campeãs nacionais". Empresas que entrariam numa superdieta de laboratório, entupida de suplementos alimentares, e sairiam de lá fortíssimas para concorrer com as grandes corporações internacionais.

Em termos econômicos, isso significou empréstimos cavalares e subsidiados para as candidatas a campeãs, aliados à compra de participação pela BNDESPar. Significou também escolher umas em detrimento de outras, sob critérios bastante confusos.

Sem surpresas, o resultado foi frustrante, criando craques de laboratório incapazes de disputar até mesmo os campeonatos de várzea do Rio de Janeiro. Oi era para ser a supertele nacional, mas quase acabou nas mãos dos portugueses. Usiminas virou empresa argentina. Marfrig foi obrigada a passar a batata quente da Seara para a JBS, que agora tenta assoprá-la.

Um caso à parte envolveu a holding EBX de Eike Batista (lembra dele?). O Governo fez negócios com Eike de todos os modos imagináveis: *commodities*, logística, infraestrutura, tecnologia. Na hora da falência, porém, quem quebrou foi o Eike, o único culpado por promessas não cumpridas.

A "teoria" das campeãs nacionais mostra um total desconhecimento sobre como funciona o mundo corporativo. Você acha que o BNDES teria escolhido a dedo um Jorge Paulo Lemann lá atrás? Teria catapultado um André Esteves?

Os verdadeiros campeões corporativos sobem seus degraus amparados basicamente em dois tipos de heurística: (i) processo sucessivo de tentativa e erro, e (ii) errar menos do que seus concorrentes, o que é bem diferente de acertar em cheio.

Ao contrário do que se imagina no BNDES, o empresário brasileiro (e no mundo todo) não precisa de assistencialismo, nem de uma vocação nacional. Ao contrário! Para triunfar, repito, ele tem justamente que enfrentar as maiores dificuldades o tempo todo, fazendo aquilo que mais gosta. Só assim evoluímos.

Qual a vocação tupiniquim para produzirmos refrigerantes, hambúrgueres e catchup em escala global?

Qual a vocação tupiniqum para atuarmos como um dos maiores bancos de investimento do mundo?

Resposta errada a essas duas perguntas, nossa grande vocação tem sido a de queimar dinheiro público. Queimamos recursos gigantescos com essa ideia ingênua de campeãs nacionais, de duas maneiras. Primeiro, por termos financiado empreitadas esdrúxulas. Segundo, por termos desfavorecido outras iniciativas que poderiam despontar por conta própria, desde que não atrapalhadas pelo Governo.

Temos que acabar com isso.

Pior do que se achar certo o tempo todo é achar o tempo todo que só você está certo.

8. Dinheiro imprestável

BNDES, Banco do Brasil e Caixa assumiram um porte completamente absurdo ao longo dos últimos dez anos, sendo hoje responsáveis por mais de 50% da concessão de crédito no País, com boa parte desse crédito subsidiada. Isso ajuda a explicar por que temos a maior taxa de juros do mundo. Se metade do nosso crédito é subsidiada, a outra metade tem que ser muito mais cara, para pagar a conta do subsídio.

Até mesmo Nelson Barbosa, ex-secretário da Fazenda no Governo Dilma, veio a público através da imprensa, em agosto de

2014, para pedir uma elevação da TJLP, a taxa de juros de longo prazo usada como facilitadora pelo BNDES. Enquanto a Selic está em 11% ao ano, a TJLP é de apenas 5% ao ano.

Quanto maior o tamanho do crédito público na economia, mais caros se tornam os empréstimos para o cidadão comum e menor o desenvolvimento do mercado de capitais. Isso gera um círculo vicioso. Como as pessoas e empresas não conseguem se financiar pelas vias que deveriam ser rotineiras, elas passam a depender mais dos subsídios. O Governo usa isso a seu favor para exaltar a necessidade e gerar mais subsídios. E assim conseguimos ter, ao mesmo tempo, uma taxa de juros de longo prazo de 5% ao ano e uma taxa de juros de curto prazo de 11% ao ano.

Além do tamanho, devo alertar para a forma com que a concessão de crédito é alocada pelos agentes públicos.

Quando um banco privado autoriza empréstimos, ele o faz de maneira bem calculada, pois qualquer erro na aprovação do crédito custa caríssimo, podendo comprometer toda a sua carteira. A responsabilidade pela adimplência é tanto da pessoa quanto da empresa que toma emprestado e do próprio banco.

Essa história muda no caso de uma instituição estatal. Se o BNDES, o Banco do Brasil ou a Caixa cometem erros na alocação de crédito, o Tesouro Nacional vai lá e aporta mais dinheiro no patrimônio. É o que os economistas chamam de socialização das perdas, fenômeno muito comum em estruturas estatais ineficientes. Alimenta-se um risco moral, pois os erros não são acompanhados das devidas punições.

Como as relações da máquina pública funcionam quase sempre por mutualismo, existe uma contrapartida essencial ao Tesouro. Quando o Governo está enforcado nas metas de superávit primário, mas quer gastar mais, faz esses gastos através de empréstimos dos bancos da casa. Trata-se de um subterfúgio a curto prazo, pois permite adiar a fatura. Porém, uma hora essa fatura chega para o Tesouro e, por conseguinte, para os nossos bolsos.

Como você vai fazer para pagar mais essa conta? Tomando dívida.

O endividamento das famílias brasileiras vem crescendo sistematicamente nos últimos anos, bombado pela introdução do crédito imobiliário (conforme gráfico a seguir).

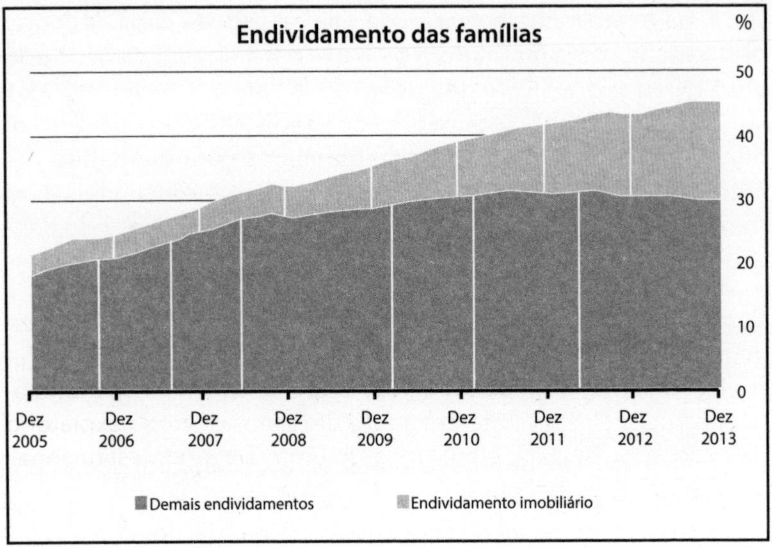

Fonte: Banco Central.

Não cremos em bolha imobiliária, ao menos na conjuntura atual. Porém, há um risco oculto nos empréstimos a imóveis, principalmente em se tratando das camadas de baixa renda, normalmente atendidas pela Caixa.

Tomando por base o Minha Casa, Minha Vida, a inadimplência entre famílias que ganham até R$ 1,6 mil se aproxima de 20%. De cada cinco casas entregues, uma simplesmente não está sendo paga.

As famílias inadimplentes não sofrem qualquer ameaça de perder suas casas, e esse buraco é tampado pelo Tesouro Nacional, sem ônus para a Caixa.

Não consigo entender por que os proprietaries das outras quatro casas estão com as contas em dia.

As estruturas de BNDES, Banco do Brasil e Caixa devem ser enxugadas, passando inclusive por uma auditoria sobre empréstimos feitos recentemente.

9. O BC de terno

Talvez você já tenha ouvido a expressão em inglês *empty suits* ou "ternos vazios". São aquelas pessoas que precisam se vestir da forma mais elegante possível para impressionar na reunião com o chefe. Elas se escondem por detrás de uma armadura estética.

É verdade que um Banco Central seguro de si não precisaria trabalhar de terno e gravata. No caso brasileiro, porém, trajes formais são altamente recomendados. Temos que passar roupa a ferro usando goma natural e apertar as abotoaduras.

Se a política monetária de um país é praticada de maneira independente, ninguém liga para formalidades. Já se o BC sofre ameaça de intervenções do Governo, a independência de fato passa a depender da independência de júri.

Ao estabelecermos formalmente a autonomia do Banco Central do Brasil, deixamos de ser reféns dos caprichos de cada mandato presidencial, ou nos fazemos menos reféns.

Via de regra, várias das decisões que cabem à esfera monetária são impopulares, conferem ao BC um *status* de bode expiatório da economia. Por isso, ele precisa de uma armadura institucional, com forte respaldo legal, inclusive constitucional.

Isso não seria tão necessário num arcabouço monetário maduro, com respeito aos alvos pré-estabelecidos. Infelizmente, falta-nos ainda a devida maturidade. Começamos bem com o regime de metas, mas ele foi desvirtuado nos últimos anos. Temos que recolocá-lo nos eixos, por gerações e gerações. Basta de colonialismo fiscal.

10. Descarga tributária

Eu sei, é chover no molhado, todo mundo reclama de impostos no Brasil. Mas não custa analisarmos, mais a fundo, para percebermos a gravidade do problema.

O crescimento real da carga tributária de 2011 a 2013 foi próximo a 3%. Nesse mesmo período, o avanço real do PIB marcou apenas 1,5%. Ou seja, a carga tributária continua ganhando espaço e já chegou quase ao dobro do ritmo da economia brasileira. Você achou que isso não era mais possível, mas o Governo Dilma deu um jeito de fazer isso acontecer.

As contas rigorosas sobre o exato tamanho desse espaço marcado pelo Estado variam um pouco, mas sempre entre números conservadores. Ao avaliá-las, concluímos com segurança que a máquina pública hoje ocupa pelo menos 40% do PIB brasileiro.

Para nós do setor privado, trata-se de um tremendo exagero. Já para os agentes estatais, esse percentual se encontra sempre abaixo do necessário para fechar as contas.

Compartilho aqui da visão de Luis Stuhlberger, um cara que finge ser gestor, mas na verdade é um dos melhores macroeconomistas que já conheci (imagine só se ele fosse gestor mesmo). Sua mensuração: "São 5% de empresários que sustentam os outros 95% que vivem na aba do governo, ou são o próprio governo".

Essa é a definição mais precisa que já ouvi sobre o chamado custo-Brasil. Será que os 5% de empresários aguentarão carregar os 95% de governo mais os assistidos? Por quanto tempo?

Pelo bem de 193 milhões de brasileiros, temos que reduzir a carga tributária com urgência.

11. Hegel é brasileiro

Na dialética hegeliana, o senhor é escravo de seu próprio escravo.

O jeito mais direto de interpretar Hegel é pelos enormes custos trabalhistas, que fazem o empresariado pensar três vezes antes de contratar e duas vezes antes de demitir.

No entanto, apesar das lamentações do patrão, o trabalhador é quem mais sofre sem saber. É ele quem perde enormes oportunidades ao se ver contemplado por leis trabalhistas pesadíssimas, que datam de um período medieval.

Existe dentre os brasileiros o sonho arraigado de um emprego estável, ganhando um salário bom (nunca excelente) e sem quaisquer riscos de demissão. Gente com QI 200, formada em Medicina na USP e sonhando em ser fiscal da Receita.

Quero acreditar que isso ficou para trás. E que o jovem brasileiro, com diploma em uma das várias universidades privadas que surgiram nos últimos dez anos (se você chutar uma sigla de três a sete letras aleatoriamente, acertará o nome de uma universidade privada), agora pensa em abrir seu próprio negócio, ou em construir carreira em alguma empresa legal.

Na medida em que protegemos excessivamente o trabalhador, arruinamos o prazer e o risco inerentes ao próprio trabalho. É no trabalho onde, pela atual regulação, despendemos ao menos oito horas, ou um terço do nosso dia. Você quer passar dezesseis horas por dia dormindo?

Somos escravos de um salário contado ao final do mês, escravos do dissídio coletivo, do abono de férias.

Na minha época, estagiário tinha que ralar para ser efetivado, mostrar serviço mesmo. Todo mundo sonhava em ser liquidante do Garantia. E quem não aguentava o tranco virava fiscal da Receita.

12. Técnica, tática e gol

Para que não me entendam mal, tenho mais de um conhecido usando crachá de funcionário público. Amigos e amigas, desde os tempos de faculdade, enfileram os *rankings* do Banco Central, BNDES, ANP, Aneel, Fisco, IPEA e similares. Além da primazia em concursos públicos, eles têm algo em comum: são pessoas inteligentíssimas, e que realmente tentam fazer um trabalho sério (algumas conseguem).

As que não conseguem, são obrigadas a engolir sapos de chefes que deveriam ser técnicos, mas que acabaram vindo de algum partido da base aliada. Sim, essas coisas acontecem em estatais, fundos de pensão, autarquias e agências reguladoras...

Logo no início da Empiricus, recebíamos demandas de fundos estatais de pensão. Analistas e gestores dos fundos me enviavam e-mails: "Oi Felipe, gosto muito do seu trabalho, mas ainda não tive liberação do pessoal do orçamento para assinar. Você pode me liberar uns relatórios de graça?".

No começo, eu achava compreensível. Porém, passados treze meses, o cara ainda não tinha recebido a bendita liberação. Ele nunca seria liberado, e a culpa nem era dele.

Só para tentar entender a dinâmica da coisa, uma vez fui visitar um desses fundos. Eles administravam mais de R$ 1 bilhão, tinham dois analistas na equipe e cinco máquinas de café no escritório. Os dois caras, "gênios" da UNB, pareciam ligados o tempo todo em 220v, loucos para ouvir novidades sobre cada ação do Ibovespa.

É claro que os concursos públicos têm seu mérito, há muita gente formidável servindo o Estado. Arriscaria que esses sujeitos tornar-se-iam milionários na iniciativa privada, mas isso não vem ao caso.

O que vem ao caso?

O reaparelhamento técnico das agências reguladoras, das estatais e dos fundos de pensão, ainda dominados por cargos políticos (eles são minoria, mas com poder de maioria).

Não é preciso sequer contratar gente nova; basta dar espaço para os "gênios" da UNB fazerem seu trabalho.

Se o Brasil realmente chegar ao fim, acho que um dos legados que deixaríamos ao mundo é o do café nacional. Eu tomaria mais uma xícara.

Contato com o autor:

felipe.miranda@empiricus.com.br

EMPIRICUS
RESEARCH

www.empiricus.com.br

Impresso em São Paulo, SP, em setembro de 2014,
com miolo em off-white 66,6 g/m^2,
nas oficinas da Farbe Druck.
Composto em Avenir Next Regular, corpo 10 pt.

Não encontrando esta obra em livrarias,
solicite-a diretamente à editora.

Escrituras Editora e Distribuidora de Livros Ltda.
Rua Maestro Callia, 123 – Vila Mariana
São Paulo, SP – 04012-100
Tel.: (11) 5904-4499 – Fax: (11) 5904-4495
escrituras@escrituras.com.br
vendas@escrituras.com.br
imprensa@escrituras.com.br
www.escrituras.com.br